춘사변인석기념총서10

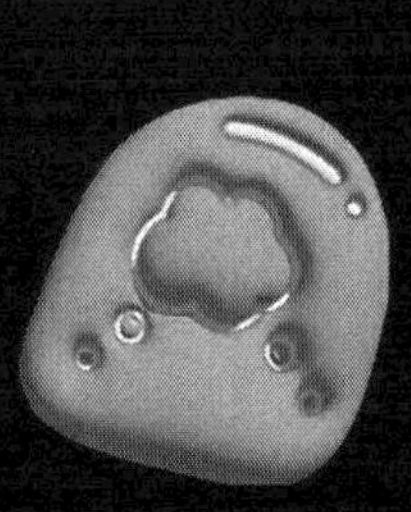

최적의 의사결정을 위한

의료분야의 기계학습과 딥러닝의 활용

Using Machine Learning and Deep Learning in Healthcare

변해원 지음

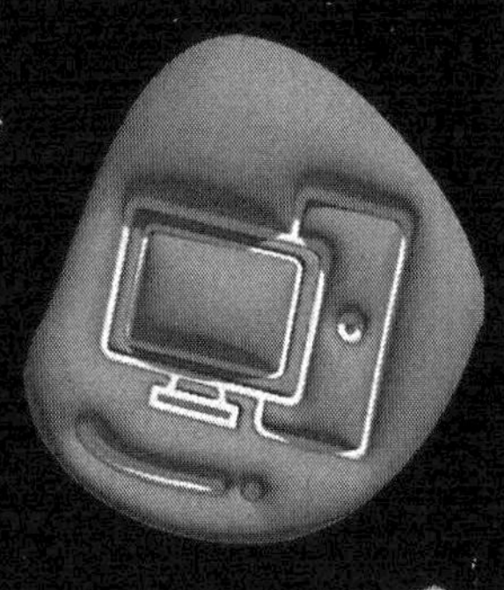

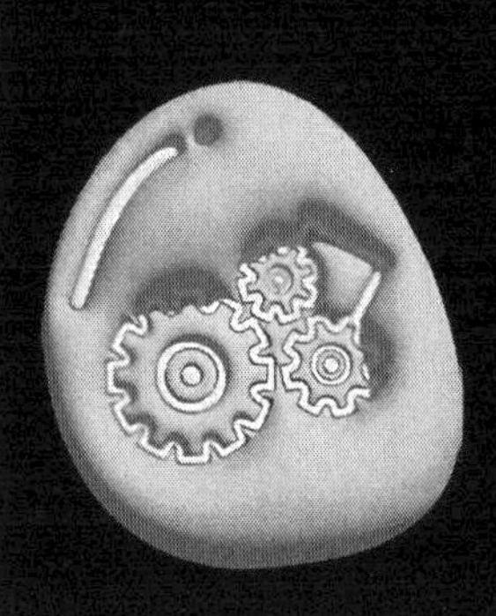

변해원

아주대학교 의과대학 예방의학교실에서 치매 고위험군 예측을 주제로 이학박사(DrSc)를 취득하였고, 현재 인제대학교 메디컬 빅데이터학과 / BK21 대학원 디지털항노화헬스케어학과 교수 및 인제대학교 부속 보건의료 빅데이터 연구소 센터장으로 재직하고 있다. 2010년부터 2023년까지 International Psychogeriatrics 등 국내외 저명 학술지에 400여 편의 논문을 발표하였고, 파킨슨 치매 중등도 예측장치 등 100여 건의 지식재산(특허)을 발명하였다. 또한, 스위스 뇌과학회 학술대회, 일본 국제융합과학학술대회 등 다수의 국내외 학술상을 수상하였다. SCIE급 저널인 세계정신과학에서 편집위원으로 활동하고 있으며, 2019년부터는 한국연구재단에서 주관하는 일반인 대상 과학강연인 '토요과학강연회의 강연자로 참여하고 있다. 저서로는 「노년기 건강 습관과 치매」 등이 있다.

의료분야의 기계학습과 딥러닝의 활용

지은이 변해원 (인제대학교 교수 / 인제대학교 부속 보건의료 빅데이터 연구소 센터장)

발 행 2024년 07월 02일
펴낸이 한건희
펴낸곳 ㈜ BOOKK
출판사등록 2014.07.15.(제2014-16호)
주 소 서울특별시 금천구 가산디지털1로 119 SK트윈타워 A동 305호
전 화 1670-8316
이메일 info@bookk.co.kr

ISBN 979-11-410-9256-6

값 21,900원

www.bookk.co.kr

의료분야의 기계학습과 딥러닝의 활용

Using Machine Learning and Deep Learning in Healthcare

변해원

BOOKK

차례

들어가며

의료 정보학은 데이터에서 패턴을 발견하고 이를 학습하여 의료 현장에서 활용하는 학문입니다. 전자건강기록(EHR, Electronic Health Record) 시스템의 도입으로 병원은 환자의 의료 데이터에 보다 손쉽게 접근하고 이를 공유할 수 있게 되었으며, 이를 통해 의료 산업에서 상당한 비용 절감 효과를 얻고 있습니다. 이러한 비용 절감은 불필요한 건강 검진의 제거와 운영 비용 감소 덕분입니다. 그러나 현재 EHR 시스템의 운용 상태를 고려할 때, 다양한 인구집단에서의 패턴과 추세를 파악하고 이를 분석하는 일은 여전히 도전 과제로 남아 있습니다. 이는 EHR 시스템의 관리가 유동적인 상태에 있기 때문입니다.

2009년 미국 복구 및 재투자법(ARRA)과 같은 이니셔티브는 의료 기록을 통일된 디지털 형식으로 전환하는 데 중요한 역할을 했습니다. 이러한 변화는 의료 데이터를 대규모 데이터 리포지토리에 통합할 수 있는 기반을 마련했습니다. 그 이후, 이러한 대규모 데이터베이스에서 추출한 정보를 바탕으로 머신러닝을 활용하여 지리적으로 다양한 위치에서의 패턴을 예측하고 분석할 수 있게 되었습니다.

EHR의 확산, 공유 및 표준화를 저해하는 컴퓨팅 문제는 이 연구 분야의 주요 관심사입니다. 이러한 데이터베이스에는 환자의 개인 정보가 포함되어 있어, 안전하면서도 다양한 사이버 위협에 대응할 수 있는 개방형 접근 데이터베이스 구축이 중요한 목표로 떠오르고 있습니다. 특히 아시아 태평양 지역의 주요 의료 데이터베이스를 살펴보면, 이러한 거대한 의료 정보 데이터 저장소를 구축하기 위해 상당한 연구 및 컴퓨팅 자원이 필요하며, 몇 가지 주요 장애물을 극복해야 합니다.

의료 기기 기술의 발전은 데이터의 관리 방식과 구조에도 변화를 요구하고 있습니다. 의료 영상 기술의 진보는 암 등의 질병을 더 빠르게 감지하고 예측할 수 있는 새로운 방법을 제공하며, 이는 종양을 보다 정확하게 식별하고 진단할 수 있게 해줍니다. 컴퓨터 단층 촬영(CT), 초음파(Ultrasound), 자기 공명 영상(MRI)과 같은 첨단 영상 기술은 덜 침습적인 수술, 영상 유도 치료, 치료 반응의 정밀한 모니터링 등에서 중요한 역할을 하고 있습니다. 이러한 기술 발전은 종양의 크기, 형태 및 위치와 같은 정밀한 해부학적 정보를 제공함으로써 진단의 정확성을 크게 향상시켰습니다.

이 책은 의료 정보학과 EHR 시스템의 발전이 의료 분야에 미치는 영향을 탐구하고, 최신 기술과 방법론을 소개합니다. 독자들이 이 책을 통해 의료 정보학의 중요성과 가능성을 이해하고, 이를 바탕으로 더 나은 의료 서비스를 제공하는 데 기여할 수 있기를 바랍니다.

끝으로, 이 책을 읽어주시는 모든 독자들께 진심으로 감사의 말씀을 드립니다. 여러분의 관심과 성원이 이 책을 완성하는 데 큰 힘이 되었습니다. 여러분의 건강과 행복을 기원합니다.

1장. 소개

1.1 서론

의료 정보학은 의료 관련 데이터의 수집, 전송, 처리, 저장, 검색 방법을 연구하는 분야입니다. 조기 질병 예방, 발견, 진단 및 치료는 이 연구 분야에서 매우 중요한 요소들입니다. 이 분야에서 신뢰할 수 있는 데이터는 주로 질병 정보, 환자 이력 그리고 이 데이터를 해석하는 데 필요한 컴퓨팅 절차와 관련된 데이터입니다. 지난 20년 동안, 미국의 의료 기관들은 교육, 의료 전문가 및 환자 지원 능력을 향상시키기 위해 최첨단 기술과 전산 인프라에 상당한 투자를 해왔습니다.

이러한 접근으로 의료 서비스의 질을 향상시키는 데 중점을 두고 자원이 집중되었습니다. 이는 환자에게 합리적인 비용으로 고품질의 의료 서비스를 제공하고, 모든 불안으로부터 벗어날 수 있도록 하는 것을 목표로 합니다. 이런 노력은 처방과 의뢰를 돕고, 전자 건강 기록의 설정 및 관리를 용이하게 하며, 의료 영상 기술의 발전을 촉진하는 데 있어 컴퓨팅 도구의 중요성을 드러내었습니다.

컴퓨터화된 의사 주문 입력(CPOE, Computerized Physician Order Entry)는 환자에게 제공되는 치료의 질을 향상시키는 한편, 처방 실수와 약물 부작용의 수를 줄일 수 있는 것으로 나타났습니다. 의사가 CPOE를 사용할 때 관련 환자 데이터를 신속하게 획득할 수 있으며, 위험할 수 있는 반응에 대한 사전 경고를 제공할 수 있습니다. CPOE는 또한 의사가 시스템을 통해 주문 처리 과정을 모니터링할 수 있는 기능을 제공하여, 처방 문제를 평가하고 재작업할 수 있는 추가적인 리소스에 접근할 수 있게 합니다. 인공 지능과 머신 러닝의 발전은 이 분야의 연구에서 중요한 역할을 하며, 연구자와 의료진은 복잡한 통계 계산에 직면했을 때 종종 이 기술들을 활용합니다. 이 연구 분야는 의료 시스템 내에서 유의미한 패턴을 발견하는 방법에 초점을 맞춥니다.

결과적으로, 의료 정보학의 주된 목표는 데이터에서 패턴을 인식하여 지식을 획득하는 것입니다. 전자 건강 기록의 광범위한 사용은 병원이 환자의 의료 정보에 접근하고 공유하는 것을 용이하게 함으로써 전체 치료 비용을 줄이는 데 기여했습니다. 이 비용 감소는 대부분 간접 비용 감소와 불필요한 건강 검진의 제거로 인한 것입니다. 그러나 기존의 EHR 시스템 운영 수준을 고려할 때, 다양한 집단의 패턴과 추세에 관한 임상 데이터를 수집하고 평가하는 것은 여전히 어려운 일입니다. 이는 현재 EHR 시스템 관리의 상당한 모호성 때문에 발생하는 문제입니다.

2009년 미국 복구 및 재투자법(ARRA)과 같은 이니셔티브로 인해 의료 기록을 통일된 디지털 형식으로 전환하는 상당한 진전이 이루어졌습니다. 이러한 진전은 방대한 의료 데이터베이스의 구축을 가능하게 했습니다. 이러한 데이터베이스에서 수집된 데이터는 머신러닝을 이용하여 여러 지역에서 나타나는 패턴을 예측하고 이해하는데 활용될 수 있습니다. 이 분야의 주요 연구 목표 중 하나는 전자건강기록(EHR)의 배포, 공유, 표준화를 방해하는 전산적 장애물을 극복하는 것입니다. 언급된 데이터베이스에는 환자의 민감한 정보가 포함되어 있으므로, 다양한 사이버 위협에 대응할 수 있는 안전한 오픈 액세스 데이터베이스의 구축이 필수적입니다.

미국의 주요 의료 데이터베이스는 이처럼 거대한 정보의 저장소를 구축하는 데 있어서 해결해야 할 여러 과제를 지니고 있습니다. 이러한 과제를 해결하기 위해서는 연구와 컴퓨터 자원에 상당한 투자가 필요한데, 이는 의료 기기의 새로운 기술 개발 및 생성된 데이터를 수용하기 위해 지속적으로 발전하는 데이터 구조를 관리해야 하기 때문입니다.

의료 영상 기술의 발전으로, 암과 같은 질병을 식별하고 조기에 예후를 판단할 수 있는 새로운 방법들이 개발되었습니다. 이는 질병의 식별 및 진단의 정확성을 크게 향상시켰습니다. 컴퓨터 단층 촬영(CT), 초음파, 자기 공명 영상(MRI) 등의 영상 기술은 최소 침습 수술, 영상 유도 치료, 치료 반응의 정밀한 모니터링 등에 핵심적인 역할을 하였습니다. 또한, 최근 기술의 발전으로 종양의 크기, 형태 및 위치에 관한 직접적인 구조적 데이터를 획득할 수 있게 되었습니다.

3D 초음파, 전기 임피던스 단층 촬영, 단층 합성, 확산 광학 단층 촬영, 확산 가중 MRI, 양전자 방출 단층 촬영(PET), 단일 광자 방출 컴퓨터 단층 촬영(SPECT)과 같은 최신 영상 기술은 종양의 기능적 활동을 제공합니다. 이 평가는 암 종양 및 기타 유형의 악성 종양에서 관찰될 수 있는 복잡한 생화학적 과정을 추적하는 데 활용되는 분자 표적 조영제 화합물과 함께, 병변의 위치와 대사적 활동도 포착합니다.

머신 러닝의 적용은 의료 영상 분야에서 매우 중요한 역할을 하며, 이미지 분할, 이미지 등록, 이미지 융합, 이미지 가이드 치료, 이미지 주석 및 이미지 라이브러리에서의 이미지 검색 등과 같은 고급 기능을 제공합니다. 최첨단 머신 러닝 기법의 도입과 구현에 대한 요구가 증가함에 따라, 이 기술들은 의료 이미징 분야에서 이미지를 분석할 때 접하게 되는 도전적인 상황을 극복하는 데 기여하고 있습니다.

이러한 기술 발전은 머신 러닝 분야에 적합하고, 유연한 알고리즘의 개발을 통해 새롭고 독특한 데이터 세트에 쉽게 적응할 수 있게 만드는 것이 목적입니다. 의료 영상 분야에서 머신 러닝의 활용이 확대되고 있는 것은 이러한 중요한 요구 사항을 충족시키는 데 기여하기 때문입니다. 의료 데이터 수집 기술의 발전과 머신 러닝 자체의 발전을 따라잡기 위해 소프트웨어 엔지니어링의 발전이 필수적입니다.

이는 신뢰할 수 있고 확장 가능한 머신러닝 소프트웨어를 만드는 것이 얼마나 중요한지를 강조합니다. 이 장의 다음 부분에서는 의료 데이터 관리와 관련된 어려움, 머신 러닝의 중요성, 현재 사용 가능한 수많은 온라인 의료 정보학 기술에 대해 중점적으로 살펴보겠습니다.

1.2 도전 과제

전자 의료 기록(EHR) 데이터 레포지토리에 환자 의료 기록을 효율적으로 보관하고 관리하는 것은 앞으로 수십 년 동안 의료 산업의 발전 경로를 크게 좌우할 것입니다. 고품질의 의료 서비스 제공과 유비쿼터스 컴퓨팅 엔진의 최적화된 활용은 의료 전문가의 생산성 향상과 EHR 데이터 레포지토리의 구축을 통해 접근할 수 있는 주요 이점들입니다. 여러 요소 간의 데이터를 논리적으로 공유하는 것은 유비쿼터스 컴퓨팅 엔진의 실현을 위한 첫 걸음입니다. 이 데이터 플로우는 그림 1.1에서 설명하는 것과 같이, 유비쿼터스 컴퓨팅 엔진의 다양한 부분 사이를 흐릅니다.

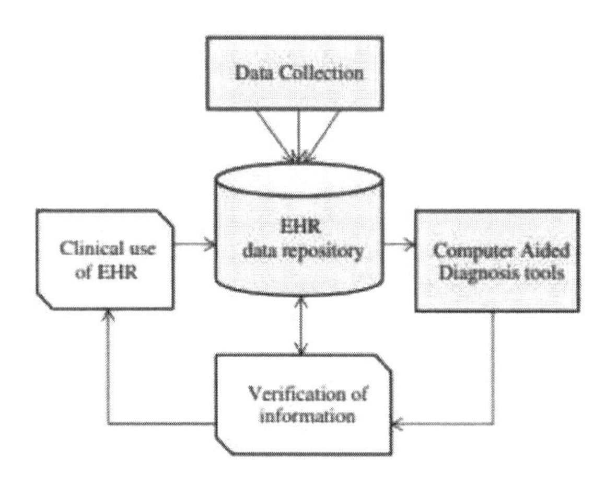

그림 1.1. 의료 분야에서 사용되는 퍼베이시브 컴퓨팅 엔진의 도식적 표현

이 과제 중 하나는 건강 정보의 수집과 관리입니다. 이는 주로 수작업으로 이루어지며, 여전히 종이에 의존하는 경우가 많습니다. 각 의료 기관은 모든 운영에 걸쳐 데이터를 통합하고 일관되게 수집하기 위해 노력합니다. 데이터를 수집하기 전에 환자의 동의를 받고, 데이터를 비식별화한 다음, 수집된 데이터가 특정 기준을 충족하는지 확인하는 절차를 따릅니다.

이 모든 프로세스를 관리하기 위해 자격을 갖춘 인력이 필요하며,

주요 의료 시스템을 구성하는 많은 조직에서 이러한 표준을 유지하는 것은 여전히 어려운 일입니다. 특히, 환자의 사전 동의를 얻는 것은 데이터 수집을 효율적으로 수행하기 위한 주요 장애물 중 하나로 남아 있습니다. 많은 환자들이 자신의 개인 정보가 여러 저장소에 분산되어 관리될 때 개인 정보 보호에 대해 우려를 표합니다. 따라서 환자 정보를 대규모 데이터 레포지토리에 저장하기 전에 비식별화 과정을 성공적으로 수행하는 것이 중요합니다.

1.3. 통제된 어휘

규제된 의료 용어의 다양성과 지속적인 발전은 데이터 수집 프로세스를 복잡하게 만드는 주된 요인 중 하나입니다. 최근 10년간 많은 연구자들이 이 문제의 해결책을 모색해 왔습니다. 덕분에 상당한 진전이 이루어졌으며, Clinical Metadata Toolkit (CMT) 같은 도구가 개발되었습니다. CMT는 데이터 입력, 추출, 처리, 공유 등 다양한 단계에서 유용하게 사용될 수 있습니다. 이 도구는 의료 전문가에게 중요한 이벤트를 실시간으로 알리고 상기시킬 수 있는 신뢰할 수 있는 진단 결정 지원 시스템을 구축하는 데 주로 활용됩니다.

진단 결정 지원 시스템의 개발은 의료 기관의 효과적인 관리 및 청구 시스템 구축을 용이하게 할 것입니다. 데이터 수집 방식은 결정적 결과에 해당하는 연구 가설에 매우 중요한 기준에 따라 결정됩니다. 사례 보고 양식(Case Report Form)은 이러한 데이터 수집을 위해 사용되며, 환자의 특성, 데이터 항목 및 관련 질문을 포함합니다. 데이터 수집 양식의 모든 항목이 정확하고 업계 표준에 부합하는지 확인하는 책임은 기관에 있습니다.

ISO/IEC 11179 표준은 데이터 요소를 '데이터 단위'로 설명하며, 이는 속성, 식별자, 표현 및 값 집합으로 구성됩니다. 이 표준은 데이터의 정확성을 보장하기 위해 철저한 설명과 범위 확인 및 집합 멤버십 확인을 포함한 다양한 유효성 검사 방법을 규정합니다.

1.4. EHR 데이터 저장소

대규모 데이터베이스와 레포지토리는 다양한 출처에서 제공되는 데이터의 본질적인 불안정성 때문에 서로 상이한 설계와 구조를 가지고 있습니다. EHR 데이터의 보존 목표는 체계적 방식으로 머신러닝 알고리즘을 적용해 데이터의 패턴을 마이닝할 수 있게 하는 것입니다. EHR 레포지토리의 구축과 관리는, 질병의 유병률, 발병률 및 관련 위험 요인을 이해하고 분석하는 데 중요합니다.

1.5. EHR 리포지토리 생성의 인적 요소

최신의 전자건강기록(EHR, Electronic Health Record) 시스템이 의료 분야에서 성공적으로 도입되고 승인됐음에도 불구하고, 인적 요인이 EHR의 승인, 구현 및 사용에 미치는 영향을 연구하는 분야에서는 아직 극복해야 할 중요한 도전이 있습니다. 사회적 복잡성과 커뮤니케이션 패턴이 EHR을 통한 의료 서비스 관리 개선 가능성에 영향을 줄 수 있다는 제안도 제시되었습니다. 연구에 따르면, 사용자들 사이의 커뮤니케이션 방식을 EHR과의 상호작용에 따라 구분할 수 있다고 합니다. 사용자는 크게 "상, 중, 하" 세 가지 유형으로 분류됩니다. 각 그룹의 특성은 다음과 같습니다:

- 상위 그룹: EHR을 적극적으로 활용하며, 보고서 작성, 플로우시트 활용, 추적 기능 등에 의존하는 사용자들입니다.

- 중간 그룹: EHR 사용과 업무 습관이 일부 통합된 사용자들로, EHR 기능의 일부만을 이용합니다.

- 하위 그룹: EHR 기능을 거의 사용하지 않는 사용자들입니다.

EHR 사용자 간의 커뮤니케이션 패턴을 이해하는 것은 유연한 EHR 시스템의 성공적인 도입과 활용에 도움이 될 수 있습니다.

머신 러닝의 발전은 복잡한 생물학적 데이터를 분석할 수 있는 고도의 컴퓨터 지원 진단(CAD, Computer-Aided Diagnosis) 도구 개발을 촉진하였습니다. 현재 사용 가능한 CAD 도구는 고무적인 결과를 제시하고 있으며, 이러한 도구를 임상 환경에 적용하기 위한 연구가 진행 중입니다. 예를 들어, 컴퓨터 이미징 분석과 유전자 정보를 결합하여 질병 결과와 생존율을 예측하는 연구가 있습니다. 기존의 CAD 기술은 생의학 정보학과 생물정보학 방법론과의 통합을 통해 더욱 맞춤화된 진단 방향으로 발전하고 있습니다.

그러나 CAD 도구는 여러 소스에서 수집된 환자 데이터를 폭넓게 활용하며, 이는 도구의 성능에 영향을 줄 수 있는 데이터의 불일치 문제를 야기할 수 있습니다. 이러한 문제는 특히 이미징 소스와 신호 소스의 데이터가 포함될 때 두드러집니다. 불일치는 CAD 도구의 효율성에 큰 영향을 미칠 수 있으며, 이를 극복하기 위해 데이터 처리에 다양한 접근 방식을 적용하고 혁신적인 머신 러닝 알고리즘 개발이 필수적입니다.

미국 식품의약국(FDA)의 규제를 준수하는 것은 CAD 도구가 임상 환경에서 사용될 수 있도록 하는 중요한 요건입니다. 이 과정에서 모든 소프트웨어 개발은 완전히 감사 가능하고 추적 가능해야 하며, 고도의 테스팅 절차를 거쳐 신뢰성 있는 결과를 보장해야 합니다. 이러한 요구 사항은 소프트웨어와 알고리즘 개발 과정을 복잡하게 만들 수 있으나, 이는 각기 다른 임상 환경에서 CAD 도구와 의사결정 지원 시스템(DSS)이 광범위하게 사용될 수 있도록 하기 위해서 필요한 절차입니다.

1.6. 의료 정보학 및 개인 맞춤 의학

미국 공학한림원은 21세기를 위한 14가지 중요한 엔지니어링 과제 중 하나로 의료 정보학을 선정하였습니다. 생의학 공학, 데이터 분석, 생물정보학 분야의 최신 발전을 활용하면서, 의료 정보학 연구자들은 헬스케어 업계가 직면한 일상적인 도전을 해결하는 데 기여하고 있습니다. 이 분야의 주요 진전은 데이터 수집, 의료 기록 관리, 그리고 패턴 분석을 위한 머신 러닝의 사용 등 세 가지 핵심 영역에서 이루어지고 있습니다. 이러한 기술들은 질병의 개인 맞춤형 진단과 치료, 그리고 예방을 목표로 개발되고 있으며, 이 장에서는 특히 개인 맞춤형 치료의 최신 발전에 초점을 맞출 것입니다.

새로운 데이터 수집 시스템이 개발되었습니다. 대부분의 경우, 전통적인 진단 방법은 시각적 증상의 발현에 의존하여 질병을 식별합니다. 이러한 진단 방식은 환자의 건강 상태가 심각하게 악화되고 난 후에야 유용한 치료를 제공하는 데에는 종종 지나치게 늦습니다. 연구자들은 다음과 같은 가능성을 탐구하고 있습니다.

나노 기술은 감염성 병원체와 손상된 세포를 조기에 식별하는 데 도움을 주어, 질병의 초기 단계에서 빠르게 진단할 수 있도록 합니다. 또한, 착용 가능한 기술, 이식 가능한 기기, 또는 섭취 가능한 센서는 의료 전문가의 감독 하에, 또는 독립적으로 환자 데이터를 수집하는 새로운 방법으로 연구되고 있습니다. 이러한 기술은 일반적으로 신체 센서 네트워크(Body Sensor Networks, BSN)라고 알려져 있으며, 생체 의료 모니터링 분야에서 활발히 연구되고 있습니다.

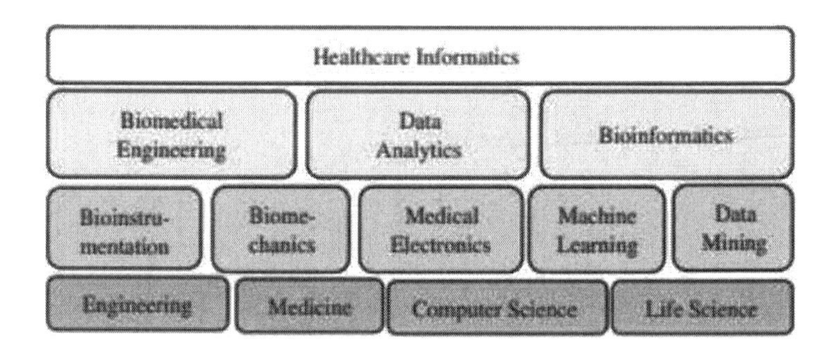

그림 1.2 의료 정보학의 다학제적 접근

BSN과 같은 사이버-물리 시스템(Cyber-Physical Systems, CPS)은 환자의 신체 여러 부위에 부착되는 다양한 센서로 구성됩니다. 이러한 연구 결과는 의료 치료의 효율성을 향상시킬 수 있는 기대를 모으고 있습니다. 이처럼 동적이며 변화가 빈번한 환경에서 다양한 센서로부터의 데이터를 통합하는 일은 여러 가지 어려움을 야기합니다. 이러한 문제를 해결하기 위해 머신 러닝의 활용이 필수적입니다. 다차원 데이터를 활용하는 데 이상적인 최첨단 머신 러닝 기법의 부재는 의사결정을 담당하는 의료 전문가들에게 커다란 장애물입니다.

EHR의 활용은 전 세계적으로 증가하고 있으며, 주요 목적은 환자의 위치에 관계없이 정보를 교환할 수 있게 하는 것입니다. 그러나 전세계적인 규모의 EHR 시스템의 개발은 다양한 조직과 기관이 참여함에 따라 많은 도전을 직면하고 있습니다. 데이터의 안전성 및 관리의 효율성에 대한 추가적인 우려가 중요한 장애물로 남아 있습니다. 또한 각 개인의 건강 정보는 유전자 수준에서부터 세포, 조직, 시스템 수준에 이르기까지 다양한 차원과 규모로 확장됩니다.

전세계적인 데이터베이스 구축을 위한 연구는 질병의 유행 초기 신호를 포착하고 중요한 정보를 검색하는 것을 목적으로 합니다. 환자들은 소셜 미디어 플랫폼과 웹 기반 자원을 통해 건강 정보를 점점 더 자주 찾고 있으며, 이는 인터넷의 광범위한 접근성 때문입니다. 그러나 정보의 보안과 관련된 우려들 때문에 EHR의 인터넷 기반 활용은 여전히 장애를 겪고 있습니다. 반면, 의료계는 환자들이 자신과 관련된 정보에 보다 자유롭게 접근하고 관리할 수 있게 함으로써, 제공되는 치료의 질을 개선하고 효율성을 높이며 비용을 절감할 수 있다는 인식을 하고 있습니다.

환자 중심의 EHR 설계는 이러한 변화를 요구하는 핵심 요소이며, 모든 EHR 시스템이 성공하려면 사용의 용이성과 정보 보안 사이에서 균형을 찾는 설계가 필요합니다. 이는 환자와 의료 전문가가 온라인에서 EHR을 통해 소통하며 서로의 데이터를 공유하고 이해하는 데 중요합니다.

1.7. 정보 검색 및 의미 관계

의료 정보학 분야에서 지속적으로 요구되는 중요한 사항 중 하나는 신뢰할 수 있는 정보에 대한 신속한 접근입니다. 온라인 의료 자료의 양이 증가함에 따라 최신의 의료 정보에 쉽게 접근하는 것이 점점 더 중요해지고 있습니다. 이는 환자뿐만 아니라 연구논문, 임상시험, 뉴스 등의 지식 기반을 확장하고자 하는 의료 전문가에게도 해당됩니다. 의료 정보학에서는 자연어 처리(NLP)와 머신 러닝(ML) 기술을 활용하여 검색 결과를 개선하고 중요한 의료 데이터를 담고 있는 출판물을 정확하게 분류하는 등의 작업에 이 기술들을 사용하고 있습니다. 그럼에도 불구하고, 이러한 방법론을 사용할 때 발생할 수 있는 어휘 불일치 문제는 잘 알려진 사실입니다.

어휘 불일치가 발생하면, 검색 시스템은 사용자의 검색어와 관련은 있지만 일반적으로 사용되는 단어가 적거나 전혀 포함되지 않은 결과를 반환할 수 있습니다. 이는 키워드 기반 검색의 효율성을 저해합니다. 종종, 어떤 문서가 서로 연결되어 있는지 판단하기 위해 추론이 사용되는데, 이 과정에서 문서에 사용된 단어와 검색어의 변화를 고려할 수 있는 신뢰할 수 있는 정보 검색 시스템의 중요성이 강조됩니다. 의학 초록에서 검색하려는 질병이나 치료와 관련된 용어를 선별하고, 이 용어들의 사용과 관련된 예방, 치료 및 부작용과 같은 의미론적 연관성을 맺는 것이 중요합니다.

이런 과정은 의료 분야의 특정 맥락에서 이루어지며, 도메인 온톨로지를 사용하여 가능해집니다. 전자건강기록(EHR) 시스템에서 의학 용어의 정의와 사용은 도메인 온톨로지에서 중요한 역할을 수행합니다. 용어의 정의와 사용을 통한 정보와 지식의 공유는 의료 정보학 서비스의 개선 가능성을 높입니다. 통합 의료 언어 시스템(UMLS), 가이드라인 교환 형식(GLIF), 언어 일반화 아키텍처(GALEN), 국제질병분류(ICD)는 EHR에 자주 사용되는 몇 가지 일반적인 의료 온톨로지입니다. 또한, SNOMED CT는 전세계적으로 사용되는 광범위하고 잘 알려진 의학 용어 데이터베이스입니다.

SNOMED CT의 계층적 표현은 질병, 약물, 생물을 포함하는 캡슐화된 클래스를 추상화하는 데 사용됩니다. 이와 함께 다양한 주제와 그 사이의 연관성을 탐구합니다. 정보 검색과 정보 추출은 일반적으로 전자 건강 기록 관리 시스템에서 중요한 과제로 여겨집니다. 보고의 적시성과 정확성을 확인하는 것도 필수적입니다. SNOMED CT는 이러한 과제를 극복하고 애플리케이션의 쉬운 구축을 가능하게 하는 개념 지향적이고 기계가 읽기 쉬운 구조를 제공합니다. 지식베이스는 SNOMED CT에서 사용되는 공식 어휘를 저장하는 데 사용되며, 특정 분야의 전문가가 기여한 최신 도메인별 아이디어를 반복적으로 확장하는 데 도움을 줍니다.

1.8. EHR의 데이터 상호 운용성

여러 조직과 의료 서비스 제공자 간에 전자건강기록(EHR, Electronic Health Record) 데이터를 공유하는 것은 중요한 과제입니다. EHR은 openEHR 및 CEN/ISO에서 정립된 아키타입에 기반한 일련의 표준을 구현함으로써, 데이터 전송을 보다 효율적으로 수행할 수 있습니다. 이러한 표준화를 통해 다양한 제공자들이 다학제적 진료 환경에서 환자의 의료 정보를 서로 공유할 수 있으며, 조직 내부, 지역, 국가, 그리고 전 세계 수준에서의 상호 운용성을 달성할 수 있습니다. 또한, 이는 다른 소프트웨어 및 제공업체 간의 상호 운용성을 간소화합니다.

현대 의료의 발전은 크게 세 단계로 나눌 수 있습니다. 첫 번째 단계는 지식 기반의 확장입니다. 연구가 발전하고 신기술이 도입됨에 따라, 어제까지 적용 가능했던 의료 지침이 오늘날에는 적용되지 않을 수 있습니다. 이로 인해 정보의 복잡성이 증가하며, 이는 시스템의 운영을 어렵게 만듭니다. openEHR 아키타입은 정보 구조와 임상 지식을 분리함으로써 지속적인 의료 산업 변화를 관리할 수 있는 틀을 제공합니다.

이 시스템을 체계적이고 사용하기 쉽게 유지할 수 있도록, 아키타입을 통해 도메인 전문가가 필요한 추상화에 접근할 수 있습니다. 이로 인해 사용자는 장비에 대한 걱정 없이 임상 아이디어에 초점을 맞출 수 있습니다. 이러한 아키타입을 통합하여 정보 시스템을 구축함으로써, EHR 시스템은 시간에 따라 변화하는 의료 및 건강 서비스 제공 관행에 유연하게 적응할 수 있습니다. openEHR 아키타입은 EHR 시스템에 대한 포괄적이고 개방적인 요구 사항 집합으로 간주되며, 이를 통해 EHR 관리 시스템의 포괄적인 구축이 가능하다고 여겨집니다.

openEHR의 이중 모델링 접근 방식은 효율적인 기록 관리를 목적으로 하는 참조 정보 모델(Reference Information Model)과 의미론적 상호 운용성을 가능하게 하는 아키타입 계층으로 구분됩니다. 최소한의 필수 정보만을 포함하여 데이터 관리를 간소화하는 참조 정보 모델과, 복잡한 의료 데이터와 그 의미를 관리하는 아키타입 계층은 EHR 시스템의 효과적인 구축과 운영에 중추적인 역할을 합니다. 이러한 접근 방식은 임상 데이터 수집과 기록 유지 간의 명확한 분리를 가능하게 하며, 다양한 임상 환경에서의 유연한 적용을 지원합니다.

그림 1.3 HL7 표준 및 관련 도메인

"헬스 레벨 7"(HL7) 표준은 국제적으로 의료 정보 교환의 중요한 표준으로 인정받고 있습니다. HL7은 정보 흐름을 관리하고 다양한 의료 시스템 간의 호환성을 보장하는 데 필수적입니다. 임상 데이터 교환, 코딩된 데이터, 텍스트 관찰, 주문, 계획된 임상 조치 및 마스터 파일 정보 전송 등, 다양한 데이터 유형을 포괄하는 HL7 표준은 의료 서비스의 효율성을 개선하고 절차를 간소화하며 정보의 전송을 용이하게 합니다. 이 표준은 다양한 의료 분야에서 활용되며, 그 범위에는 임상, 임상 유전학, 행정, 임상 연구 등이 포함됩니다.

이러한 표준과 아키타입의 구현은 EHR 시스템의 상호 운용성을 향상시키고, 복잡한 의료 환경에서 정보의 정확한 관리와 교환을 보장하는 데 결정적인 역할을 합니다. EHR의 데이터 상호 운용성은 향후 의료 정보학의 핵심 도전 과제 중 하나로 남아 있으며, 지속적인 기술적 및 규정적 발전을 통해 이를 지원해야 합니다.

1.9. 진단 목적의 컴퓨터 보조 학습 기계(CAD)

컴퓨터 지원 진단(CAD, Computer-Aided Diagnosis)은 임상 분야 전문가들이 진단 과정에서 범할 수 있는 실수를 줄이는 데 크게 기여하여 의료 분야에 혁명적인 변화를 가져왔습니다. CAD는 질병에 대한 새로운 이해 방법을 제시함으로써 임상 진료와 기술 진보 사이의 간극을 좁히는 데 도움을 줍니다. 자기공명영상(MRI), 컴퓨터단층촬영(CT) 스캔 등의 고급 이미징 기술과 데이터 저장 기술의 결합이 임상 진료의 질을 증진시키는 다양한 방안을 제공하였습니다. 이러한 발전은 컴퓨터 지원 진단에 대한 연구가 머신 러닝과 관련된 기술을 활용하는 추세로 진화하게 만들었습니다.

머신 러닝은 데이터 탐색, 훈련, 검증 등 여러 중요한 단계를 포함하는 잘 알려진 지식 발견 프로세스(KDD, Knowledge Discovery in Databases)를 기본으로 합니다. 데이터 탐색 단계에서는 데이터로부터 패턴을 찾는 것이 목표이며, 이 과정에서 특징 추출과 선택을 위한 알고리즘 개발이 이루어집니다. 이 패턴들은 다양한 가설을 설정하고 테스트하는 데 유용하며, 이후 훈련 단계에서는 이 패턴을 바탕으로 학습 모델을 구축합니다.

모델 훈련이 완료된 후에는 해당 모델을 사용하여 가설을 검증하고, 이러한 검증 과정은 의료 진단의 정확성을 높이는 데 중요합니다. 통계적 테스트와는 달리, 머신 러닝 결과의 검증은 해당 주제 분야에 대한 깊은 이해와 분석 능력을 필요로 합니다. 머신 러닝을 의료 진단에 적용하는 것은 매우 유망하지만, 우수한 성능, 진단의 투명성, 의사 결정 설명 능력, 테스트 수의 최소화, 누락된 데이터의 적절한 처리 등 여러 기준을 충족해야 합니다.

1960년대 중반 머신 러닝에 대한 최초의 관심이 등장한 이래, 이 분야는 계속해서 발전해 왔으며 현재는 임상 분야에 적용되어 다양한 진단 및 예후 문제를 해결하는 데 사용되고 있습니다. 다양한 기술, 예를 들어 신경망(NN), 서포트 벡터 머신(SVM), 결정 트리(DT) 등이 임상 데이터 분석에 활용됩니다. 비록 머신 러닝의 사용이 보편화되고는 있지만, 이를 대규모로 활용하기 위한 여러 도전 과제가 여전히 남아 있습니다.

이러한 도전 과제에는 다음과 같은 내용이 포함됩니다.

1. 데이터 품질과 다양성의 확보
2. 알고리즘의 검증 및 신뢰성 확보
3. 진단 결과의 투명성 및 이해 용이성 제공
4. 실시간 데이터 처리 및 실시간 의사 결정 지원
5. 보다 저렴하고 효과적인 진단 도구의 개발 및 활용

머신 러닝을 의료 분야에 적용하는 것은 의료 서비스의 질을 개선하고 전반적인 의료 비용을 절감하는 데 크게 기여할 수 있습니다. 이는 의료 분야에서 머신 러닝의 활용이 확대됨에 따라 더욱 중요한 주제로 부상하고 있습니다.

1.10. 의료 분야에서 머신러닝의 적용

머신러닝 기술이 의료 분야에 적용될 경우, 진단 정확성을 향상시키고, 예후를 더 잘 예측하며, 개인 맞춤형 치료 계획을 수립하는 데 도움이 될 수 있습니다. 이 기술은 의료 데이터의 복잡한 패턴을 분석하고, 임상 의사 결정 프로세스를 지원함으로써 의료전달을 개선할 수 있는 잠재력을 가지고 있습니다.

임상 매개변수 감지와 해석

머신러닝은 임상 데이터에서 복잡한 매개변수를 식별하고 해석하는 능력을 향상시킬 수 있습니다. 이는 심혈관 질환, 암, 당뇨병 같은 만성적인 질환의 관리와 예방에 특히 유용합니다. 머신러닝 알고리즘은 환자의 의료 데이터를 분석하여 고위험군을 조기에 식별하고, 질병의 진행 상황을 모니터링하며, 치료의 개별적인 효과를 예측할 수 있습니다.

진단과 예후 도구로서의 기능 개선

머신러닝은 의료 진단과 예후 도구의 기능을 개선할 수 있는 효과적인 수단입니다. 예를 들어, 치매나 파킨슨병과 같은 신경퇴행성 질환의 조기 진단을 지원하기 위해 환자의 임상적, 생화학적, 영상학적 데이터를 통합 분석할 수 있습니다. 이러한 통합 접근 방식은 보다 정확한 진단을 제공하고 질병의 진행을 보다 효과적으로 모니터링할 수 있도록 합니다.

의료 비용 절감

머신러닝은 의료 서비스 제공의 효율성을 증가시켜 의료 비용을 크게 절감할 수 있습니다. 예를 들어, 머신러닝은 환자의 입원 필요성을 예측하고, 가장 효과적인 치료 방법을 추천하며, 재입원을 방지하는 등의 방법으로 의료 자원의 사용을 최적화할 수 있습니다.

실시간 임상 모니터링

다양한 센서와 장치에서 수집된 데이터를 통합하고 실시간으로 분석하여, 머신러닝은 중환자실(ICU) 같이 민감하고 중요한 환경에서 환자의 상태를 실시간으로 모니터링하는 데 사용될 수 있습니다. 이를 통해 의료진은 환자의 상태 변화에 빠르고 정확하게 대응할 수 있으며, 고위험 상황을 예방할 수 있습니다.

전반적인 도전 과제

하지만 머신러닝을 의료 분야에 적용하는 것은 여전히 여러 도전 과제를 안고 있습니다. 데이터의 품질, 분석 알고리즘의 신뢰성, 결과의 해석 가능성 및 의료 실무에의 통합성 등이 주요 과제로 꼽힙니다. 이와 함께 각 국가와 기관의 정책, 법규 준수 문제도 큰 영향을 미칩니다.

머신러닝의 의료 분야 적용은 지속적인 연구와 혁신을 요구하는 분야로, 신기술의 발전과 함께 의료 서비스의 질을 향상시키고 환자의 삶의 질을 개선하는 데 크게 기여할 잠재력을 가지고 있습니다. 따라서 이 분야의 연구와 개발은 의료 혁신의 중심에서 매우 중요한 역할을 계속해서 수행할 것입니다.

1.11. 머신 러닝 기술

최근 데이터 과학의 발전, 특히 머신 러닝 기술은 의료 분야의 다양한 질병, 특히 알츠하이머병(Alzheimer's Disease, AD)의 진단 및 관리에 매우 중요한 영향을 미치고 있습니다. 알츠하이머병은 인지 및 지적 결함을 주요 특징으로 하며, 적절한 치료가 이루어지지 않을 경우 일상 생활에 심각한 지장을 줄 수 있습니다. 전 세계적으로 알츠하이머병 환자 수는 지속적으로 증가하고 있으며, 이는 고령화와 맞물려 의료 시스템에 막대한 부담을 주고 있습니다.

현재에는 알츠하이머병의 발병 및 진행을 지연시키기 위한 약리학적 및 행동적 개입이 강조되고 있습니다. 이러한 노력의 일환으로 머신 러닝을 이용한 연구가 활발히 진행되고 있습니다. 특히, 경도 인지장애(Mild Cognitive Impairment, MCI)에서 알츠하이머병으로의 전환 가능성을 조기에 예측하는 것이 큰 과제로 다루어지고 있습니다.

머신 러닝 기술, 특히 서포트 벡터 머신(Support Vector Machine, SVM)은 MRI 스캔 같은 의료 영상 자료 분석에 널리 사용되고 있습니다. 이 기술을 활용하여 알츠하이머병 환자를 보다 효과적으로 식별하고, 신경 방사선 전문의의 판독 결과와 견줄 만한 정확도를 달성할 수 있습니다. 뿐만 아니라, 회귀 기법을 통해 임상 평가와 MRI 데이터를 연동시켜 알츠하이머병의 발병과 진행을 음호적으로 모니터링하는 연구도 진행되고 있습니다.

이런 기법들을 통해 단일 및 다중 정보 소스로부터 수집된 데이터를 활용하여 알츠하이머병 및 중등도 인지 기능 저하의 진단과 예후를 정교하게 분석할 수 있습니다. 그 중에서도 해부학적 MRI 스캔은 알츠하이머병과 인지 기능 저하 환자를 건강한 인구와 구별하는 데 있어 중요한 진단 도구로 활용됩니다.

이와 함께, 확산 텐서 영상(Diffusion Tensor Imaging, DTI) 같은 새로운 영상 기술은 뇌의 백질 섬유 다발을 정밀하게 식별할 수 있어, 뇌의 구조적 연결망을 이해하는 데 큰 도움을 줍니다. 이 기술의 발전은 뇌 내에서의 신경 섬유의 경로를 추적하여 질병의 영향을 받는 영역을 시각화하는 데 큰 진전을 가져왔습니다.

휴식 상태에서의 기능적 자기공명영상(resting-state functional MRI, rs-fMRI)은 뇌의 다양한 영역 간의 연결성을 분석함으로써, 알츠하이머병 및 기타 신경퇴행성 질환의 연구에 보다 깊이 있는 인사이트를 제공합니다. 이 기술은 환자가 특별한 작업을 수행하지 않을 때 뇌의 기능적 연결성을 관찰함으로써, 질병의 조기 징후를 포착하는 데 유용하게 사용됩니다.

마지막으로, 플루오르데옥시글루코스 양전자 방출 단층촬영(FDG-PET)은 또 다른 중요한 진단 도구로서, 알츠하이머병 환자에서 나타나는 뇌의 대사 변화를 파악하는데 사용됩니다. 이 기법은 뇌의 특정 영역에서 포도당 대사 감소를 보여주며, 알츠하이머병의 진단 및 진행을 평가하는 데 도움을 줍니다.

머신 러닝과 고도의 영상 기술의 결합은 알츠하이머병의 조기 진단과 관리에 있어 매우 중요한 발전을 이룩하고 있습니다. 이러한 발전은 향후 질병의 예방 및 치료 전략을 세우는 데 큰 도움이 될 것입니다.

머신 러닝의 연구 및 평가를 위한 다양한 지표들은 치료 전략이나 예방 방법의 최적화에 필수적인 역할을 합니다. 이러한 지표는 머신 러닝 모델의 효율성, 정확도, 그리고 의료 실무에의 적용 가능성을 측정하는 데 사용됩니다. 예를 들어, 알츠하이머병과 같은 질병을 조기에 발견하고, 진행 과정을 면밀히 관찰하여 적절한 치료 상황을 예측하기 위한 모델 계발이 중요합니다.

치료 개입의 개발과 실행

알츠하이머병 치료를 위한 약물 개발과 행동적 개입은 병의 진행을 늦추고 생활의 질을 향상시키는 데 있어 중요한 요소입니다. 머신 러닝은 이러한 개입 방법의 설계와 실행을 보다 효과적으로 만들 수 있습니다. 데이터 분석을 통해 얻은 통찰력은 특정 환자에게 가장 효과적인 치료법을 예측하고, 개인별 치료 계획을 맞춤화하는 데 도움을 줄 수 있습니다.

의료 데이터의 활용과 통합

의료 데이터는 점점 더 많은 양이 디지털 형태로 수집되고 있으며, 이러한 데이터의 효율적인 활용은 의료 서비스의 질을 개선하는 중요한 열쇠입니다. 머신 러닝 기술은 이러한 대량의 데이터에서 유의미한 정보를 추출하고, 다양한 데이터 소스 간의 정보를 통합하여 보다 포괄적이고 정확한 임상 진단을 제공합니다.

연속적인 모니터링 및 동적 반응 시스템

특히 중증 질환을 가진 환자들의 경우 연속적인 건강 모니터링과 즉각적인 의료 대응이 중요합니다. 머신 러닝은 이러한 동적인 환경에서 환자의 상태 변화를 실시간으로 감지하고, 필요한 의료 서비스를 즉시 제공할 수 있는 시스템의 구현을 가능하게 합니다.

교육 및 훈련의 최적화

머신 러닝은 의료 전문가들의 교육 및 훈련 프로그램에서도 중요한 역할을 할 수 있습니다. 시뮬레이션과 가상 현실 기술과 결합된 머신 러닝 알고리즘은 의료 전문가들이 다양한 임상 상황에 대한 경험을 쌓고, 의료 기술을 향상시키는 데 도움을 줄 수 있습니다.

도전과제와 미래 전망

물론, 머신 러닝 기술의 의료 분야 적용에는 여전히 극복해야 할 과제들이 많이 존재합니다. 데이터의 품질과 접근성, 알고리즘의 투명성 및 결과 해석의 난이도, 프라이버시 및 윤리적 문제 등이 대표적인 도전 과제입니다. 또한, 기술의 발전과 더불어 적절한 규제 및 가이드라인 개발도 중요한 이슈로 부상하고 있습니다.

앞으로 머신 러닝 기술은 의료 분야에서 더욱 중요한 위치를 차지할 것으로 기대됩니다. 향상된 진단 정확성, 개인화된 치료 계획, 비용 절감 등 머신 러닝이 제공할 수 있는 혜택은 무궁무진합니다. 연구자, 의료 전문가, 그리고 정책 결정자들이 서로 협력하여 이 기술을 효과적으로 도입하고 활용한다면, 전 세계적인 의료 서비스의 질 개선에 크게 기여할 수 있을 것입니다.

1.12. 단일 양상 기반 진단 및 예후

알츠하이머병(Alzheimer's Disease, AD) 및 기타 관련 퇴행성 신경 장애는 공간적, 시간적 특징을 가진 병리를 낳습니다. 이러한 질병들은 뇌의 국소적인 단일 부위에 국한되지 않고, 넓은 범위의 상호 연결된 네트워크에서 발생하며 시간이 지남에 따라 진행됩니다. 이에 따라, 질병의 원인과 발전 과정에 대한 명확한 이해를 위해서는 다양한 뇌 영역 사이의 연결성에 대한 종합적인 분석이 필수적입니다. 전뇌 연결성 모델은 신경생물학적으로 의미 있는 계산적 효율을 바탕으로 네트워크 특성화의 신뢰성을 높이는 데 중점을 두고 있습니다.

이 모델들은 구조적 경로 또는 기능적 관계를 통해 서로 연결된 뇌 영역의 네트워크를 묘사하며, 서로 다른 뇌 영역 간 해부학적 회로나 기능적 상호 작용을 통해 구성됩니다. 이러한 네트워크 모델은 알츠하이머병 및 중등도 인지 장애(Mild Cognitive Impairment, MCI)의 탐지 및 예측을 위해 단일 이미징 기법의 지표를 활용할 수 있습니다. 이 방법론의 목적은 진단 정확도를 높이고, 진단 시간을 단축하는데 있습니다.

특히, 확산 텐서 이미징(Diffusion Tensor Imaging, DTI)과 같은 기술을 통해 총 6가지의 다양한 확산 변수, 예를 들어 섬유 수, 분수 이방성(Fractional Anisotropy, FA), 평균 확산도(Mean Diffusivity, MD), 주요 확산도(k1, k2, k3) 등이 포함되어 있습니

다. 이러한 측정치들은 두 뇌 영역을 연결하는 섬유의 수를 통해 각 위치 그룹 간의 상호연결을 평가하는 데 도움을 줍니다. FA, MD 및 주요 조직매개변수가 특정 섬유 추적 경로에 따라 측정되어, 뇌 네트워크의 구조를 보다 자세히 파악할 수 있습니다.

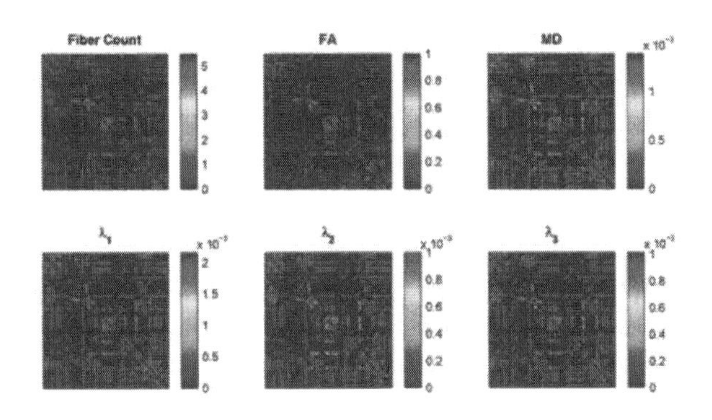

그림 1.4 다양한 확산 파라미터로 구축된 연결 네트워크

그림 1.4는 다양한 확산 파라미터를 바탕으로 구축된 뇌의 연결 네트워크를 나타냅니다. 이 그림은 각기 다른 뇌 영역들이 어떻게 서로 연결되어 있는지, 그리고 이 연결이 알츠하이머병의 발달과 어떻게 관련되어 있는지 보여줍니다.

이러한 분석 방법은 전체 뇌 네트워크의 연결성을 해석함으로써, 알츠하이머병이 진행되는 과정에서 특정 뇌 영역간의 연결이 어떻게 변화하는지 이해할 수 있도록 도와줍니다. 또한, 이 연결성의 변화를 통해 알츠하이머병의 조기 진단 및 그 진행을 보다 정확히 예측할 수 있는 기회를 제공합니다.

앞으로 이 분야의 연구가 계속 진행된다면, 단일 영상 기법을 활용하여 뇌의 복잡한 네트워크를 더욱 정교하게 분석하고, 알츠하이머병을 비롯한 다양한 신경 퇴행성 질환의 조기 진단과 관리에 크게 기여할 수 있을 것으로 기대됩니다. 이러한 진전은 의료 분야에서의 개인 맞춤형 치료 접근법을 한 단계 더 발전시킬 수 있을 것입니다.

단일 영상 기법을 통한 뇌 네트워크 분석의 발전은 알츠하이머병을 포함한 여러 신경 퇴행성 질환의 진단 및 관리에 혁신적인 접근 방식을 제공합니다. 이 기술들은 특히 병리의 초기 단계에서 신경학적 변화를 정확하게 감지하는 데 필수적입니다. 초기 단계에서의 정확한 진단은 치료 개입의 시기를 앞당겨 질병의 진행을 늦추고, 환자의 삶의 질을 유지하는 데 큰 도움이 됩니다.

다중 모달 분석의 의의

단일 영상 기법을 넘어, 최근 연구에서는 다양한 영상 모달리티를 통합하는 다중 모달 분석 방식이 강조되고 있습니다. 이러한 접근 방식은 각기 다른 영상 기법들이 제공하는 정보를 결합함으로써 보다 정밀한 뇌의 구조적 및 기능적 지도를 제작할 수 있게 합니다. 예를 들어, MRI는 뇌의 구조적 이미지를 제공하는 반면, 기능적 자기공명영상(fMRI)은 뇌 활동의 실시간 매핑을 가능하게 합니다. 이 두 가지 정보를 결합하면, 연구자들은 뇌의 구조적 변화와 그에 따른 기능적 영향을 보다 명확히 이해할 수 있습니다.

또한, 양전자 방출 단층 촬영(PET)과 같은 다른 영상 기법들은 뇌에서의 화학적 및 분자적 변화를 탐지하는 데 중요한 역할을 합니다. 이러한 기법들을 통합함으로써, 알츠하이머병의 복잡한 병리학적 과정을 종합적으로 파악할 수 있으며, 병의 진행을 예측하고 효과적인 치료 전략을 수립하는 데 필요한 중요한 정보를 얻을 수 있습니다.

향후 연구 방향 및 도전 과제

의료 이미징 분야에서의 기술 발전은 매우 빠르게 진행되고 있으며, 이러한 발전이 알츠하이머병을 비롯한 다양한 뇌 질환의 진단 및 치료에 큰 기대를 모으고 있습니다. 하지만 여전히 해결해야 할 과제들도 존재합니다. 예를 들어, 다양한 영상 데이터의 통합과 분석에서 발생하는 대규모 데이터 관리와 처리 문제, 다양한 모달리티에서 얻은 데이터의 통합 방법 개발, 그리고 이러한 기술들의 임상적 적용에 관한 윤리적 및 법적 고려사항 등이 있습니다.

또한, 이러한 고도의 기술을 일반화하고 접근성을 높이는 것도 중요한 과제입니다. 모든 환자가 이러한 첨단 의료 기술을 동일하게 접근할 수 있도록 하기 위한 인프라 구축과 비용 문제도 해결해야 합니다.

향후 연구에서는 이러한 기술들을 보다 효과적으로 활용하여 뇌 질환의 조기 진단 및 효과적인 관리를 가능하게 할 수 있는 새로운 방법과 접근 방식이 모색될 것입니다. 이 과정에서 오는 인사이트는 뇌 과학뿐만 아니라 의료 분야 전반에 걸쳐 혁신을 촉진할 것입니다.

1.13. 다중 스펙트럼 연결 네트워크를 통한 기능 분석

최근 연구에서 휴식 상태 기능적 자기 공명 영상(resting-state functional MRI, R.S.-fMRI)이 인간 뇌의 복잡한 기능적 네트워크를 연구하는 데 있어 중요한 기법으로 자리잡고 있습니다. R.S.-fMRI는 휴식 상태에 있는 참가자의 뇌에서 발생하는 혈역학적 반응을 측정하여, 참가자의 신경 활동과 연결된 자발적인 저주파 변동을 관찰합니다. 이 기법은 건강한 개인과 경도 인지 장애(Mild Cognitive Impairment, MCI) 환자를 구분하는 데 효과적으로 사용되어 왔습니다.

연구에서 Wee 등은 rs-fMRI 데이터를 정확하게 분석하는 두 가지 전략을 제안했습니다: 첫째, 뇌 기능 연결 네트워크의 위상학적 특성과 강도에 대한 정보를 제공하기 위한 그래프 이론 분석입니다. 이 방법은 각 관심 영역(Region of Interest, ROI)의 평균 시계열을 다양한 주파수 하위 대역으로 분해하여 이루어집니다. 이 절차를 "다중 스펙트럼 분석"이라고 칭하며, ROI 간의 연결성을 더욱 세심하게 분석할 수 있습니다.

이 연구에서 얻은 결과는 다음과 같습니다: 알츠하이머병 환자는 건강한 노인에 비해 훨씬 높은 국소 회백질(Grey Matter, GM) 손실률을 보였으며, 특히 왼쪽 반구에서 그 손실률이 더 높게 나타났습니다. 심실과 백질(White Matter, WM) 신호의 제거는 뇌와 척수에서 발생하는 혈류 변화를 더욱 정확하게 모니터링하는 데 도움이 됩니다.

이러한 연구에서 사용된 고급 이미징 기법은 T1 가중 MRI 시퀀스를 사용하여 각 참가자의 뇌 조직을 정확하게 구분합니다. 이렇게 구분된 데이터는 GM, WM, 및 뇌척수액(Cerebrospinal Fluid, CSF)을 정확히 식별하여, fMRI 데이터 분석에 필요한 정확성을 제공합니다.

그래프 이론을 활용한 분석에서는 각 ROI의 평균 시간 시퀀스를 기반으로 전체 스펙트럼의 연결 네트워크를 구축합니다. 이는 각 ROI 간에 존재하는 기능적 연결성을 파악하고, 뇌 영역 간 신경 활동의 상호작용을 포괄적으로 이해하는 데 중요합니다.

또한, 피어슨의 상관 행렬이 이러한 분석에서 널리 사용되며, 이는 각 변수 쌍 사이의 상관관계 값을 나타냅니다. 이 데이터는 뇌 영역 간의 연결성을 기반으로 한 기능적 링크 네트워크 구축에 필수적입니다.

마지막으로, 다중 스펙트럼 분류를 통해 MCI 환자와 건강한 대조군을 구분하는 데 사용할 수 있는 두 가지 기능적 연결성 지도가 생성되었습니다. 이러한 접근 방식은 rs-fMRI 데이터로부터 얻은 정보가 신경 질환의 진단과 모니터링에 어떻게 활용될 수 있는지를 보여줍니다.

다중 스펙트럼 연결 네트워크 분석은 뇌의 복잡한 기능적 패턴을 정밀하게 분석하는 데 중요하며, 알츠하이머병과 같은 신경 질환의 이해와 관리에 기여할 수 있습니다. 이 방법은 뇌 과학과 의료 정보학 분야의 지속적인 발전을 촉진할 것으로 예상됩니다.

1.14. T1-가중 MRI의 계층적 뇌 네트워크

T1-가중 MRI는 임상 환경에서 매우 널리 사용되기 때문에, 경도인지장애(Mild Cognitive Impairment, MCI) 및 알츠하이머병(Alzheimer's Disease, AD)의 진단과 예후에 광범위하게 활용되고 있습니다. 일반적으로, 이 방법은 관심영역(Region of Interest, ROI) 내에서 회백질(Gray Matter, GM), 백질(White Matter, WM), 그리고 뇌척수액(Cerebrospinal Fluid, CSF)의 일반적인 양을 계산하기 위한 분류 특성으로 사용됩니다. 질병에 의한 구조적

변화가 한 위치에서만 나타나는 것이 아니라 여러 연결된 위치에서 나타날 수 있다는 인식 하에, 뇌를 서로 연결된 영역의 시스템으로 특성화하는 접근법이 제안되고 있습니다. 이는 기존의 독립적으로 수행되던 측정 방법보다 미세한 뇌 변화를 더 효과적으로 특성화할 수 있다는 주장을 지지합니다.

계층적 뇌 네트워크 모델은 한 개인 내에서 발생하는 ROI 간의 상호 작용을 구조화하여 설명합니다. 이 네트워크에서 각 노드는 특정 ROI를 대표하고, 연결선은 두 ROI 사이의 연결 특성을 나타냅니다. ROI를 설명하기 위해 기하학적 벡터가 사용되며, 이 벡터는 해당 ROI에서 발견된 GM, WM, CSF의 평균 양을 요소로 포함합니다. 이러한 벡터를 통해 차원적으로 ROI 노드를 정의하고, 두 ROI 간의 피어슨 상관관계를 계산하여 같은 개인 내에서의 연결 유무를 판단합니다.

이를 통해 두 뇌 영역 간의 연관성을 평가하고, 각 영역의 조직 구성이 어느 정도 유사한지를 파악할 수 있습니다. 중등도 인지 장애를 가진 개인은 조직 축소와 같은 변화에 취약할 수 있으며, 이는 다양한 원인에 의해 발생할 수 있습니다. 제안된 접근 방식은 일반적인 1차 근사치를 넘어서 관심 영역 간의 상호 상관관계를 분석함으로써, ROI의 부피에 대한 2차 측정값을 제공합니다. 이는 더 세밀한 정보를 제공할 수 있으나, 등록 문제와 같은 노이즈에 더 취약할 수 있습니다.

많은 연구들에서 분석의 정확도를 높이기 위해, 4개 레이어로 구성된 다중 해상도 ROI 계층 구조가 활용되었습니다. 이 구조는 다양한 지리적 영역에서 발생하는 관계를 분석함으로써, 노이즈 감소 및 분류 정보의 향상을 도모합니다. 이러한 접근은 각 세분화된 영역 내의 관계뿐만 아니라 세분화 영역 간의 관계도 함께 고려합니다. 이를 통해 제공되는 분류 시스템은 보다 정밀한 결과를 도출할 수 있습니다.

2장.

심전도 신호를 위한 웨이블릿 기반 머신 러닝 기술

심혈관 질환(Cardiovascular Disease, CVD)은 전 세계적으로 주요한 사망 원인 중 하나입니다. 고소득 국가에서는 사망자의 약 40%가 CVD로 인해 발생하며, 저소득 국가에서도 이 비율이 증가하는 추세입니다. 심장의 전기 자극을 담당하는 심방 결절(Sinoatrial, SA)과 같은 구조물이 중요한 역할을 합니다. 부정맥(Arrhythmia)은 심장 리듬의 이상을 총칭하며, 여러 형태의 심장 전기 활동 이상을 포함합니다.

부정맥은 다양한 외부 자극에 의해 촉발될 수 있으며, 치료되지 않은 경우 심장마비나 갑작스런 사망을 유발할 수 있습니다. 심장의 비정상적인 박동은 심박수가 지나치게 빠르거나 느리거나, 박동 간격이 불규칙할 때 발생합니다. 이러한 상황에서 조기 진단과 적절한 치료는 매우 중요합니다.

심전도(Electrocardiogram, ECG)는 심장의 전기활동을 기록하는 비침습적 검사 방법으로, 부정맥을 포함한 다양한 심장 질환을 진단하는 데에 널리 사용됩니다. 특히, ECG는 심장의 전기적 패턴 변화를 통해 부정맥의 유무를 확인할 수 있습니다.

웨이블릿 변환과 머신 러닝을 활용한 ECG 분석

웨이블릿 변환은 시간-주파수 분석을 가능하게 하는 강력한 도구로, ECG 신호의 비정상적인 리듬을 검출하는 데 특히 유용합니다. 이 기술은 심전도의 변화하는 신호에 미세하게 반응하여, 정상 리듬과 비정상 리듬을 정확하게 구분할 수 있도록 돕습니다.

머신 러닝 기법은 이러한 신호 분석에 적용되어, 대량의 ECG 데이터로부터 패턴을 학습하고 이를 기반으로 부정맥과 같은 이상을 자동으로 식별할 수 있습니다. 특히, 머신 러닝 알고리즘은 웨이블릿 변환된 데이터를 처리하여, 심장의 이상 상태를 더 빨리 및 정확하게 진단할 수 있게 합니다.

장비 사용과 대규모 스크리닝의 연구

현장에서 ECG 장비를 사용하는 데 필요한 교육을 받은 의료 전문가는 이를 통해 환자의 심장 상태를 신속하게 평가할 수 있습니다. 이는 대규모로 심장 질환 스크리닝을 수행하고, 필요한 의료 자원을 보다 효과적으로 활용하는 데 기여할 수 있습니다.

그림 2.1은 머신 러닝을 활용하여 ECG에서 정상 부비동 리듬과 부정맥을 분류하는 방법을 보여줍니다. 이는 실제 의료 현장에서 어떻게 활용될 수 있는지에 대한 통찰을 제공합니다.

팬-톰킨스 알고리즘과 같은 전통적인 방법부터 최신의 웨이블릿 기반 방식까지, 다양한 접근 방식이 R-포인트 식별에 사용되고 있습니다. 이들 방법은 특히 ECG 데이터에서 QRS 콤플렉스를 검출하는데 중요한 역할을 합니다. 이러한 신호 처리 기법은 부정맥의 정확한 식별과 분류에 결정적인 역할을 하며, 심전도 분석에 있어 머신 러닝과 웨이블릿 변환의 교차점에서 혁신적인 발전을 이루어 가고 있습니다.

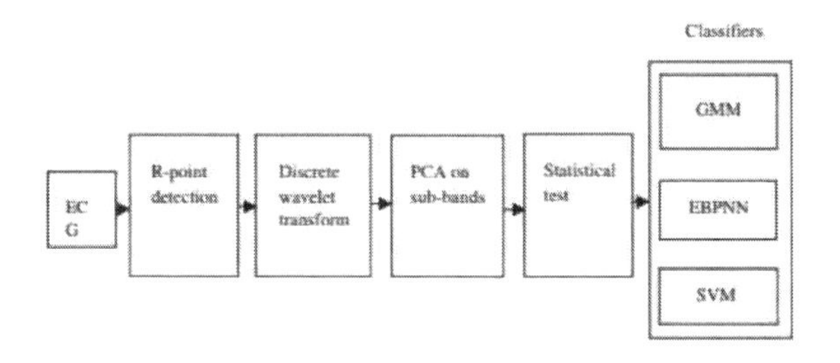

그림 2.1 정상 부비동 리듬과 부정맥으로
심전도를 분류하는 머신 러닝 접근법

2.1 재료

본 연구는 공개적으로 접근 가능한 자료를 사용합니다. 이 중 MIT BIH 부정맥 데이터베이스와 MIT BIH 정상 부비동 리듬 데이터베이스가 포함되며, 이들은 www.physionet.org에서 확인할 수 있습니다. 이 데이터베이스에는 베스 이스라엘 디코니스 메디컬 센터의 부정맥 모니터링 실험실에서 수집한 다양한 심장 패턴을 보유한 환자들의 장기 심전도 측정값이 18개 저장되어 있습니다.

이 컬렉션에는 26세에서 45세 사이의 남성 5명과 20세에서 50세 사이의 여성 13명이 포함되어 있으며, 이들 중 유의미한 패턴을 보인 사례는 없었습니다. 심전도 기록은 128헤르츠로 측정되었으며, 1975년부터 1979년까지 총 47명의 개인과의 면담을 기반으로 한

48개의 모바일 심전도 측정 사례가 포함되어 있습니다. 이 중 23개의 사례는 병원 내외 환자로부터 수집되었으며, 나머지는 심각한 부정맥을 보이지는 않지만 임상적으로 의미 있는 경우로 선정되었습니다. 샘플링 속도는 각 채널마다 360헤르츠였으며, 해상도는 11비트로서 10밀리볼트 범위에서 측정되었습니다.

데이터의 다양한 샘플링 속도를 고려하여, 통일된 데이터 처리를 위해 모든 데이터를 250헤르츠로 재샘플링하는 과정이 필요했습니다. 또한, 데이터베이스의 자료는 외부 노이즈나 전력선 간섭의 영향을 받았을 가능성이 있으므로, 체계적인 필터링 과정을 거쳐 원치 않는 노이즈와 불규칙성을 제거했습니다.

2.2 서브밴드 주요 구성 요소

심전도 데이터의 각 서브밴드에는 수많은 이산 웨이블릿 변환(DWT) 계수가 존재합니다. 이 계수를 모두 사용하면 분류기의 계산 부담이 커질 수 있으므로, 주성분 분석(PCA)을 활용하여 필요한 구성 요소의 수를 줄이는 방법을 사용했습니다. 이 조사를 통해 데이터를 네 개의 주요 주파수 섹션으로 나눌 수 있었으며, 각 섹션은 두 번째, 세 번째, 네 번째 수준의 디테일과 네 번째 수준의 근사치를 포함합니다.

모든 서브밴드의 DWT 계수는 PCA를 통해 처리되며, 이 과정에서 선택된 주성분은 총 데이터 에너지의 98% 이상을 포함하도록 설정되었습니다. PCA는 데이터의 다양성을 최대로 표현할 수 있는 새로운 좌표계를 형성하고, 이를 통해 더 낮은 차원의 데이터로 효율적인 분류가 가능해집니다. 이렇게 재구성된 데이터는 심전도의 주요 변동성을 98% 이상 포함하면서도, 필요 이상의 정보는 배제함으로써 계산 효율성을 높이는 데 기여합니다.

주성분 분석(PCA)은 다음과 같은 단계로 구성됩니다. 지원되는 컴팩트한 DWT(Discrete Wavelet Transform) 기능을 통해 하위 대역의 ECG 신호를 더 희박하게 표현할 수 있습니다. 이 기법은 하위 대역에 적용 시 더 큰 데이터 압축을 제공하며, 이는 전반적인 접근 방식의 의미를 향상시킵니다. 따라서 시간 도메인의 주성분보다 DWT 특성의 주성분이 더 높은 통계적 유의성을 지닐 것으로 예상하는 것이 타당합니다. 독립 표본 t 검정은 시간 도메인과 DWT 도메인의 특성이 두 클래스의 신호와 얼마나 유사한지를 비교하여, 클래스 그룹 간 평균의 동등성을 평가하는 데 사용됩니다.

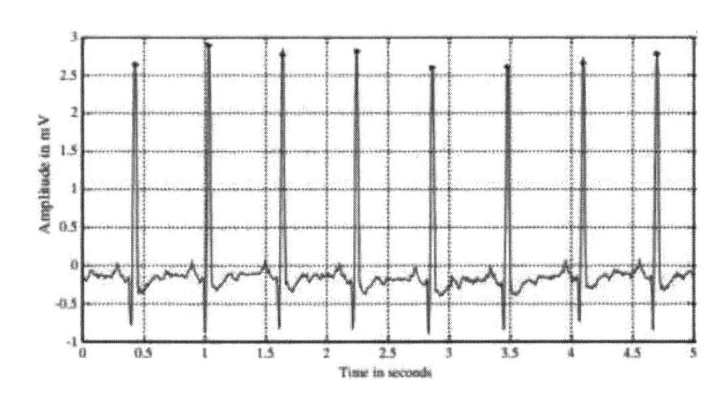

그림 2.2 정상 부비동 리듬 신호에서의 R-포인트 감지

MIT BIH 부정맥 데이터 세트와 MIT BIH 정상 부비동 리듬 데이터 세트를 활용하여 두 클래스의 ECG 분류 문제를 구성했습니다. 이러한 구성은 팬-톰킨스 방법의 효과와 정확성을 강조하기 위한 것으로, 이 방법은 R-포인트 감지에 가장 널리 사용됩니다. R-포인트 감지 절차는 그림 2에서 설명되며, 감지된 R-포인트는 검은색 원으로 표시됩니다. 팬-톰킨스 알고리즘은 비선형 및 선형 연산을 조합한 다단계 필터링 과정으로 구성됩니다. 식별된 R-포인트 주변의 200-샘플 프레임에서 추가적인 분류 작업을 수행하기 위해 임의로 99개의 왼쪽 지점과 100개의 오른쪽 지점을 선택합니다.

그림 2에서는 자동 회귀 방법을 사용하여 표준 부비동 맥박과 부정맥 신호의 전력 스펙트럼 밀도(PSD)를 살펴봅니다. 이는 부비동 리

듬과 부정맥을 명확하게 구분하기 위한 주요 주파수를 확인하는 데 도움이 됩니다. 0~50헤르츠 범위의 주파수를 사용하여 이를 명확히 구분할 수 있습니다. 하위 대역 2, 3, 4의 중요성은 그림 2의 데이터와 연관된 히스토그램에서 파악할 수 있습니다.

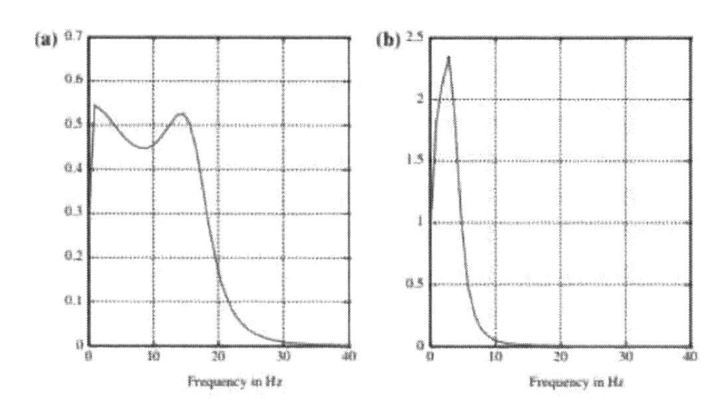

그림 2.3 정상 부비동 리듬과 부정맥 신호의 전력 스펙트럼

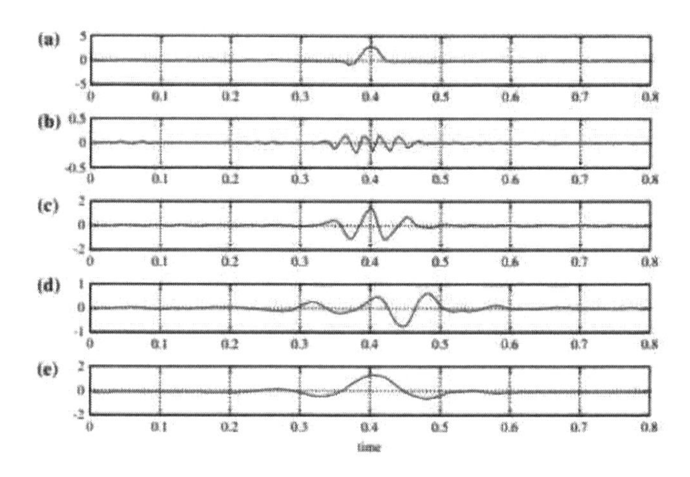

그림 2.4 정상 부비동 리듬 신호의 DWT 분해 원본 신호,
상세-2, 상세-3, 상세-4, 근사치-4 신호

도베키즈-4 웨이블릿을 사용한 이산 웨이블릿 변환은 일반 부비동 리듬 신호 처리에 활용됩니다. 각 하위 대역에는 신호 성분이 하나 이상 존재하며, 이들은 분류를 위해 활용될 수 있습니다. 부정맥 신호에 대한 DWT 분해는 두 신호 간에 뚜렷한 외형적 차이를 보여줍니다.

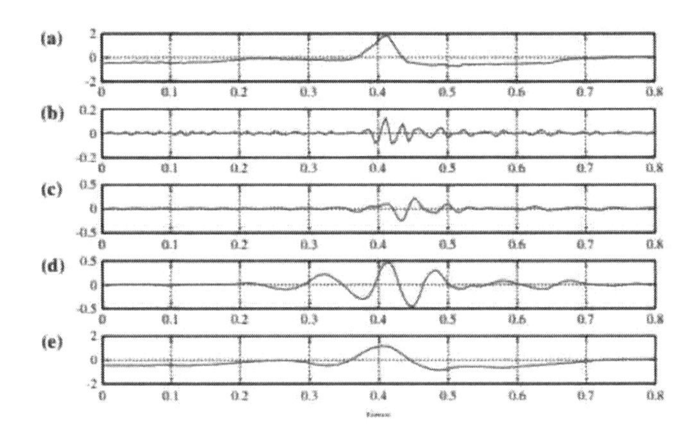

그림 2.5 부정맥 신호의 DWT 분해 원본 신호, 상세-2, 상세-3, 상세-4, 근사치-4 신호

압축된 계수는 향후 분류에서 사용될 특징으로 활용될 수 있는 후보입니다. 주성분 분석은 각 하위 대역에 대해 수행되며, 이 과정에서 다양한 웨이블릿 기저 함수가 사용됩니다. 이를 통해 데이터를 가장 높은 변동성을 지닌 방향으로 매핑하고, 차원을 줄임으로써 분류기가 처리해야 할 작업량을 감소시킵니다.

압축된 계수는 향후 분류에서 사용될 특징으로 활용될 수 있는 후보입니다. 주성분 분석은 각 하위 대역에 대해 수행되며, 이 과정에서 다양한 웨이블릿 기저 함수가 사용됩니다. 이를 통해 데이터를 가장 높은 변동성을 지닌 방향으로 매핑하고, 차원을 줄임으로써 분류기가 처리해야 할 작업량을 감소시킵니다.

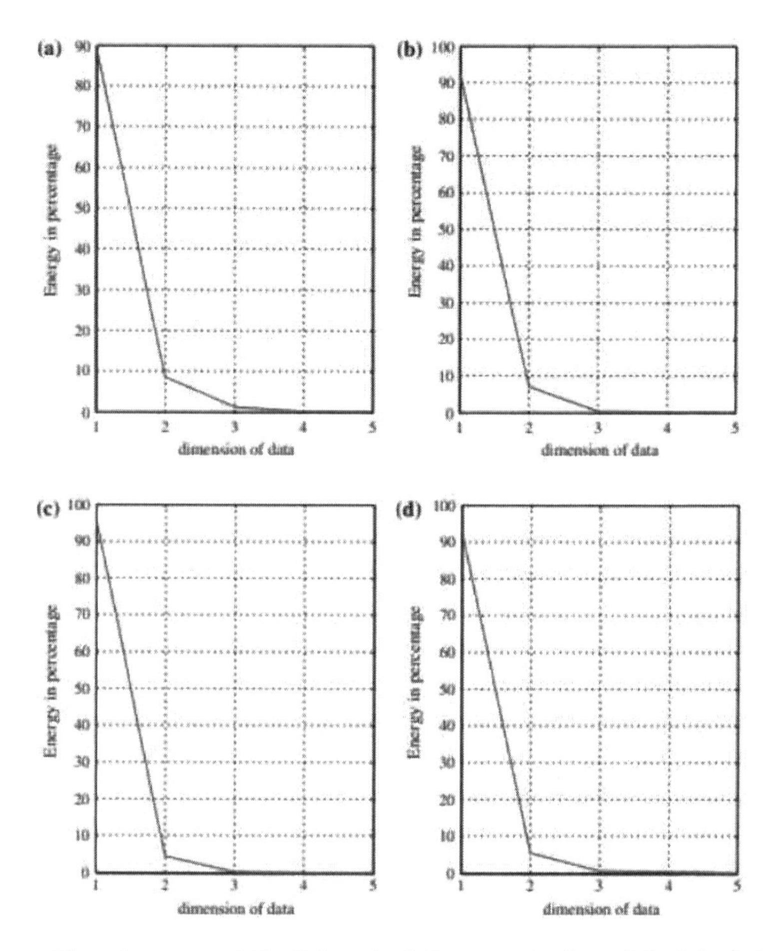

그림 2.6 DWT 하위 대역 A의 상세 2, 3, 4 및 근사치-4에 대한 PCA, Db6 웨이블릿 사용

환자의 심전도 프로파일은 부정맥과 정상 부비동 리듬을 식별하기 위한 체계적인 전략 개발에 활용됩니다. 다양한 기저 함수, 예를 들어 도베치(Daubechies), 심렛(Symlet), 그리고 코이플렛(Coiflet) 웨이블릿을 사용하여 시간-주파수 정보를 추출하였습니다. 주성분 분석(PCA)을 적용함으로써 각 기저 함수가 생성한 데이터의 하위 대역에서 압축을 고도화할 수 있었습니다. 이 접근법은 각 웨이블릿이 해당 하위 대역에 에너지를 유니크하게 분배함으로써, 더 높은 수준의 정밀도를 제공합니다.

전 세계적으로, 특히 개발된 국가에서는 당뇨병 환자 수가 증가하고 있으며, 이는 의료 전문가들에게 큰 도전을 제시하고 있습니다. 당뇨병은 인슐린의 절대적 또는 상대적 부족, 또는 인슐린 생산의 결함으로 인해 발생하며, 이는 세포가 포도당을 적절히 사용하지 못하는 결과를 초래합니다. 당뇨병은 주로 두 가지 형태로 나뉩니다: 제1형 당뇨병(인슐린 의존성)과 제2형 당뇨병(인슐린 비의존성).

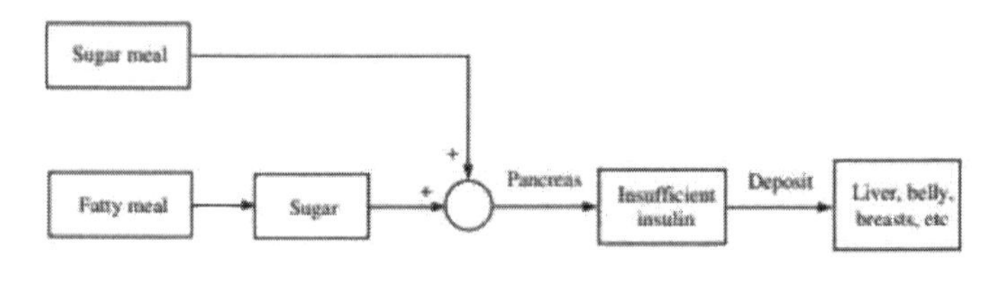

그림 2.7 설탕, 인슐린 및 지방의 관계

당뇨병 치료의 주된 목표는 환자의 혈당 수준을 안전한 범위 내에서 조절하는 것입니다. 제1형과 제2형 당뇨병 모두에서 적절한 신체 활동과 균형 잡힌 식단 조율이 중요합니다. 특히 제2형 당뇨병의 경우, 건강한 식습관과 충분한 운동을 병행하여 체중 감소를 도모해야 합니다. 만약 이러한 접근법이 실패할 경우, 경구용 혈당 강하제나 인슐린 치료가 필요할 수 있습니다.

췌장은 포도당이 세포 내로 효과적으로 들어갈 수 있게 하는 인슐린을 생산합니다. 그러나 당뇨병 환자의 경우, 충분한 인슐린이 없어 세포막의 작은 틈을 통해 포도당이 세포 내로 들어가지 못하고 혈류에 남아 혈당 수치를 높이게 됩니다. 이러한 상황은 바다 한가운데 있지만 물을 마실 수 없는 선원에 비유될 수 있습니다. 당뇨병 환자는 주변에 충분한 당(포도당)이 있지만, 인슐린 부족으로 인해 이를 세포로 운반할 수 없습니다. 이는 결국 혈당 수준의 증가와 다양한 합병증을 초래할 수 있습니다.

이 차트는 당뇨병 환자가 엄격한 식단을 준수하고 정기적으로 인슐린을 투여해야 하는 이유를 설명합니다. 현재 당뇨병 치료에는 여러 종류의 인슐린이 사용되고 있습니다. 일반 인슐린은 돼지와 소의 췌장에서 추출되며, 이의 효과는 빠르게 나타나 4~6시간 동안 지속됩니다. 렌테 인슐린은 지방 물질이 포함되어 있어 흡수되는 속도가 느리며, 이의 효과는 일반 인슐린보다 장기간 지속됩니다. 휴물린 인슐린은 일반 인슐린과 렌테 인슐린을 혼합한 것으로, 주로 70%의 렌테 인슐린과 30%의 일반 인슐린을 포함하고 있습니다.

동물에서 추출한 인슐린과 인간 인슐린 사이에는 아미노산 구성에 큰 차이가 없으나, 일부 사람들은 동물 인슐린에 대한 내성을 형성하기도 합니다. 이로 인해, 현재 가장 널리 사용되는 인슐린은 합성 인간 인슐린입니다. 특히, 휴물린 인슐린은 화학적 합성을 통해 대량 생산이 가능합니다.

또한, 당뇨병 환자에서 죽상 동맥 경화증은 혈중 포도당 수치가 제대로 조절되지 않을 때 발생할 수 있는 질환으로, 심장, 뇌, 신장,

간 및 발 등에 부정적인 영향을 미칩니다. 이 질환은 심각한 합병증을 유발할 수 있으며, 높은 혈당 수치는 망막에 동맥류를 형성해 출혈 및 시력 저하를 일으킬 수도 있습니다. 발의 혈액 순환이 저하되면 동맥 경화, 궤양, 감염 및 괴저와 같은 심각한 증상을 야기할 수 있습니다.

당뇨병 환자는 혈당 수치를 일정하게 유지하기 위해 일상생활에서 식단 관리와 인슐린 조절을 철저히 해야 합니다. 제1형 당뇨병 연구 임상 시험(DCCT)과 같은 연구에서, 혈당을 세심하게 조절한 당뇨병 환자는 신장, 신경, 눈에 발생할 수 있는 합병증의 위험을 크게 감소시킬 수 있음이 입증되었습니다.

효과적인 당뇨병 관리를 위해 환자는 식사 전 후의 혈당 수치를 정기적으로 측정하고 필요에 따라 인슐린을 투여해야 합니다. 시중에는 혈당을 측정할 수 있는 다양한 장비가 있으나, 이 장치들을 사용하는 과정은 각기 별개이며 때때로 사용자에게 부담이 될 수 있습니다. 혈당 수치를 엄격하게 관리하는 것은 장기적으로 건강을 유지하는 데 크게 기여할 수 있습니다.

이러한 체계적인 접근 방식은 당뇨병 환자가 장기적으로 건강한 생활을 영위할 수 있도록 돕고, 심각한 당뇨병 합병증으로 인한 위험을 줄이는 데 크게 기여할 수 있습니다.

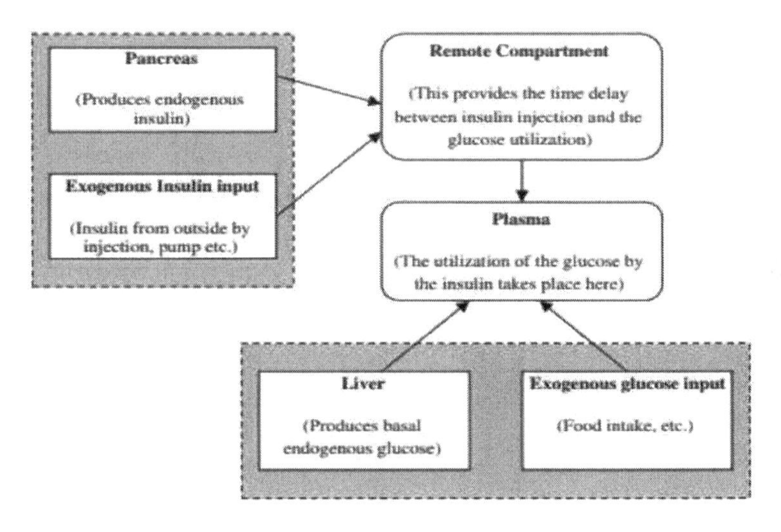

그림 2.8 모델링된 시스템의 생리학적 블록 다이어그램

기술 발전 덕분에 현재는 연속 혈당 모니터링 시스템(CGMS)이 개발되어 최대 72시간 동안 5분마다 혈당 수치를 측정할 수 있게 되었습니다. 또한, 인슐린 펌프는 하루 24시간 동안 지속적으로 인슐린을 주입할 수 있는 기능을 제공합니다. 그러나 현재의 당뇨병 치료 환경에서는 이 두 가지 기술이 모두 환자에게 제공되지 않습니니

다. 이 장에서는 추후 이 두 종류의 기술 장치 사이에 존재하는 차이점에 대해 자세히 살펴보겠습니다.

2006년에 FDA 승인을 받은 MiniMed Paradigm 실시간 인슐린 펌프는 연속적인 포도당 모니터링 시스템과 결합하여 혁신적인 당뇨병 관리 솔루션을 제공합니다. 이 기술은 실시간으로 포도당 수치를 모니터링함으로써 당뇨병 환자가 자신의 건강 상태를 보다 정확하게 관리할 수 있도록 지원합니다. 현재 인슐린 펌프와 실시간 CGM을 결합하여 폐쇄 루프 인슐린 주입 시스템을 개발하는 연구가 활발히 진행 중입니다. 이 시스템이 성공적으로 구현된다면, 이는 인간 췌장의 기능을 부분적으로 모방할 수 있는 획기적인 진전이 될 것입니다. 연구 과정에서 우리는 퍼지 논리 제어 전략에 기반해 당뇨병 환자의 혈당을 효과적으로 조절할 수 있는 폐쇄 루프 시스템을 개발하기 위해 노력하고 있습니다.

2.3 포도당 조절 시스템의 수학적 모델

이 섹션에서는 포도당 조절 시스템의 기본적인 수학적 모델을 소개합니다. 이 모델은 모든 필수적인 형태학적 변화를 포괄할 수 있으며, 다양한 임상 상황에서 활용할 수 있습니다. 이 모델은 포도당 조절 시스템의 작동 원리를 이해하는 데 핵심적인 역할을 합니다.

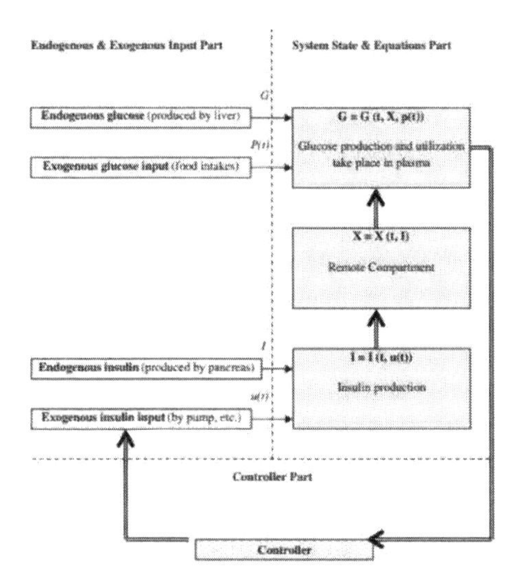

그림 2.9 포도당 조절 시스템 모델

2.4 퍼지 논리 제어 시스템

퍼지 논리 제어 시스템은 언어 기반 원칙, 퍼지 모델 식별, 퍼지 반응 및 적응 가능한 알고리즘을 조합하여 형성됩니다. 이 시스템은 적응 가능한 부정확한 추론을 기반으로 한 관리 시스템의 기초를 제공하며, 변동하는 환경에 대응하여 활동을 미세 조정할 수 있습니다.

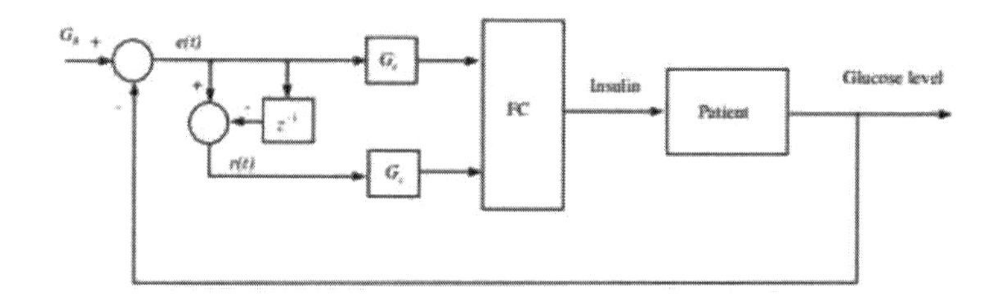

그림 2.10 퍼지 제어 시스템의 블록 다이어그램

퍼지 제어 시스템은 포도당 수치의 변화를 감지하고 적절한 인슐린 투여량을 조절하여, 환자의 혈당 수치를 안정적으로 유지하는 데 중요한 역할을 합니다. 이 시스템을 통해 당뇨병 환자는 일상 생활에서 보다 정확하게 혈당을 관리할 수 있으며, 단기적 및 장기적 건강 문제의 위험을 줄일 수 있습니다.

2.5 시뮬레이션 연구

이 섹션에서는 앞서 소개한 혈당 조절 시스템과 컨트롤러를 활용한 시뮬레이션에 대해 자세히 살펴보겠습니다. 시뮬레이션은 당뇨병 환자와 정상인의 포도당 대사 상태를 모델링하여, 외인성 포도당이 없는 상태에서의 반응을 분석합니다. 이 연구에서 인슐린 주입은 정상적인 췌장 기능을 모방하여, 당뇨병 환자의 혈당 농도를 기저 수준으로 조절하는 역할을 합니다.

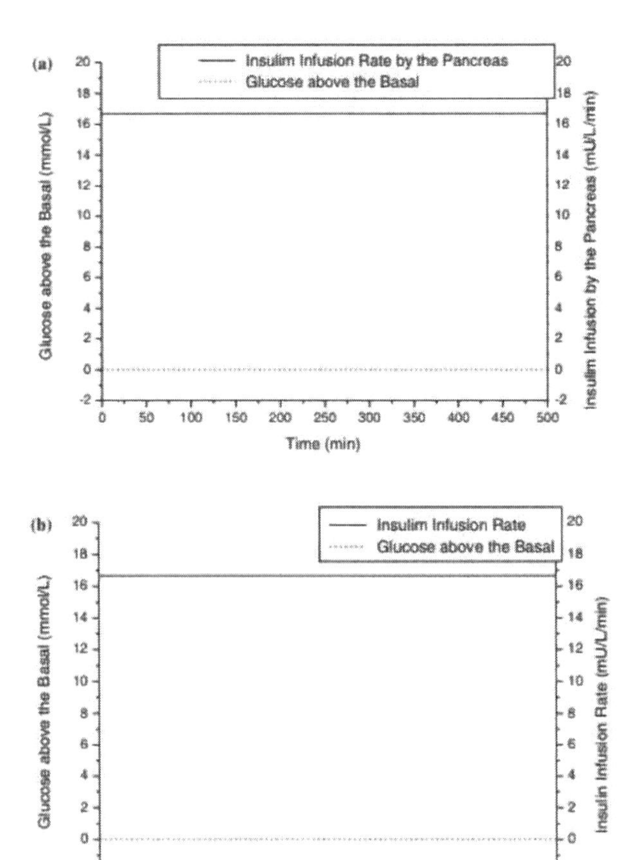

그림 2.11 정상인과 당뇨병 환자의 인슐린 분비 및 포도당 수치 비교

이 그림은 정상인의 경우 음식 섭취 없이 자연적인 인슐린 분비가 일어나는 과정과 당뇨병 환자가 외부에서 인슐린을 주입했을 때의

포도당 수치 변화를 나타냅니다.

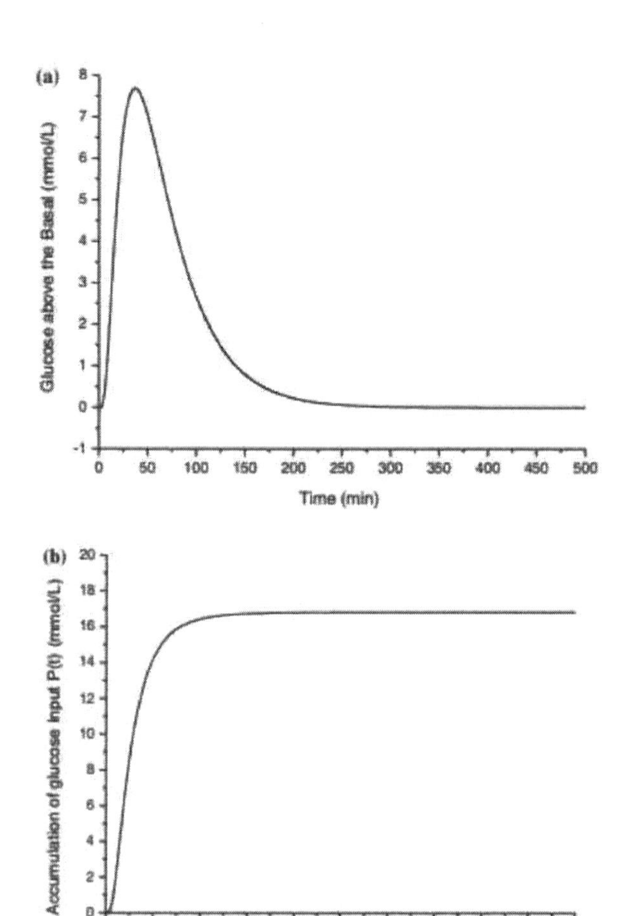

그림 2.12 건강한 사람과 당뇨병 환자의 혈당 수치 대 시간 곡선

이 그림은 건강한 사람의 자연적인 혈당 조절과 당뇨병 환자에서의 인위적 조절을 시간에 따라 비교한 것입니다.

이 연구는 당뇨병 환자의 혈당 조절을 목표로 하며 인슐린과 혈당 사이의 상호 작용을 설명하는 수학적 모델을 제시합니다. 이 모델은 컨트롤 시스템 설계와 모델링 프로세스에 유용할 수 있으며, 퍼지 논리에 기반한 새로운 컨트롤러를 소개하여 당뇨병 환자의 혈당 조절에 대한 새로운 접근 방식을 제공합니다. 이 컨트롤러는 실제 환자 치료 설정에서 사용될 수 있는 구체적인 퍼지 가이드라인을 제안합니다. 또한, 다양한 제어 파라미터의 효과를 평가하기 위해 추가적인 시뮬레이션 연구가 수행됩니다.

연구 결과, 혈중 포도당 수치를 적절히 평가하고 모니터할 수 있다면, 피드백 제어 메커니즘을 적용하여 당뇨병 환자의 혈당을 더 효과적으로 관리할 수 있음을 시사합니다. 또한, 이 연구는 포도당 수치를 개방형 루프 방식으로 관리할 때 혜택을 제공할 수 있는 퍼지 제어 전략을 설명하고, 현실적인 환경에서 실시간으로 포도당 수치를 추적하고 조절하는 데 직면할 수 있는 어려움을 고려한 중요한 정보를 제공합니다.

3장.

심전도 데이터의 비지도 학습을 위한 유전자 알고리즘의 적용

"심혈관 질환"이라는 용어는 심장과 동맥에 영향을 미치는 다양한 질환을 포괄합니다. 전 세계적으로, 이는 전체 사망자 수의 약 29.2%, 즉 대략 1,670만 명의 사망 원인입니다. 특히, 허혈성 심장 질환(IHD) 및 관상동맥 질환(CAD)이 연간 약 720만 명의 사망자를 발생시키고 있습니다. 이 질병으로 인한 사망자의 80% 이상은 개발도상국과 저소득 및 중산층 국가에서 발생하고 있습니다. 세계 여러 나라에서는 젊은 세대와 농촌 지역 주민들에게서 질병 발생률이 높아지고 있는 것에 대해 주목하고 있습니다. 인도의 경우, 1990년부터 2020년까지 심혈관 질환으로 인한 사망자 수가 111% 증가할 것으로 예측되고 있습니다.

이러한 치료 비용은 국가 경제에 막대한 영향을 미치며, 따라서 관상동맥 질환(CAD)의 조기 발견 및 예방을 위한 효과적인 전략을 개발하는 것이 필수적입니다. 부정맥은 대체적으로 심장의 충동 생성 또는 전도의 불규칙성으로 발생하며, 대부분 심혈관 질환의 결과로 나타납니다.

부정맥은 종종 생명을 위협하는 상태로 급속히 진행될 수 있으며 심실 세동 및 심실 조동과 같은 심각한 경우가 포함됩니다. 심전도(ECG)는 이러한 상태를 진단할 수 있는 비침습적 도구로, 각종 이상을 해부학적(구조적) 및 생리적(기능적) 원인으로 구분하여 설명합니다. 일반적으로, 의사는 ECG 패턴을 분석하여 질병의 진행 과정을 이해하고 최종적으로 진단에 도달합니다.

결과적으로, 심전도는 심장 질환의 조기 발견에 있어 중요한 도구 역할을 합니다. 고비용의 의료 자원과 많은 인구를 고려할 때, 효과적인 자동화된 선별 도구 개발이 절실히 요구됩니다. 이 장에서는 주성분 분석(PCA) 및 선형 판별 분석(LDA) 같은 특징 추출 방법을 사용하여 부정맥과 정상 부비동 리듬을 분류하고자 하는 연구를 소개합니다.

유전자 알고리즘(Genetic Algorithm, GA)은 샘플이 아닌 전체적인 접근 방식을 기반으로 하며, 휴리스틱 적응 가능한 프레임워크를 이용합니다. 이 알고리즘은 최적의 해결책을 찾기 위해 자연의 유전학 원리를 적용하며, 이는 최적의 응답을 도출해 내는 데 도움을 줍니다. 신경망과 같은 다른 알고리즘과 함께, GA는 데이터의 복잡한 패턴을 분류하고 모델링하는 데 유용하게 사용될 수 있습니다.

또한, 인공 신경망인 오류 역전파 신경망(Back Propagation Neural Network, BPNN)은 복잡한 데이터 패턴을 구분하고, 예측 모델이나 분류 작업에 적용할 수 있는 유용한 도구입니다. 이 장에서는 심전도 데이터를 활용한 부정맥과 정상 부비동 리듬의 분류를 통해, 대규모 인구 데이터에 대한 조기 진단 및 선별의 가능성을 탐구하고 있습니다.

많은 경우 K-평균 클러스터링 같은 기존의 클러스터링 방법들은 로컬 최적화에 도달하는 경향이 있습니다. 이러한 방법들은 초기값에 매우 의존적이어서 다른 시작점에서 다른 결과를 얻을 수 있습니다. 이에 반해 유전자 알고리즘(Genetic Algorithm, GA)은 전역 최적화를 추구하는 접근방식을 제공합니다. GA는 진화론적 원리를 바탕으로 해 해를 개선해 나가기 때문에, 다양한 가능한 솔루션들 사이에서 최적의 솔루션을 찾아낼 가능성이 높습니다.

이러한 유전자 알고리즘은 특히 심전도 데이터 분석과 같은 복잡한 분류 문제에 유리합니다. 심전도 데이터는 종종 잡음이 많고, 패턴이 불분명할 수 있으며, 전통적인 방법으로는 정확한 분류가 어려울 수 있습니다. GA를 사용하면 다양한 형태의 ECG 데이터 간 변별력을 높일 수 있는 특징을 발견하고, 강력한 분류기를 생성하는 데 도움이 됩니다.

실제로 유전자 알고리즘을 활용한 연구에서는 ECG 데이터에서 부정맥과 정상 부비동 리듬을 구분하기 위해 다양한 특징 추출 및 선택 알고리즘을 실험적으로 적용하였습니다. 이 과정에서 주성분 분석(PCA)을 통해 데이터의 차원을 축소하고, 추가적으로 선형 판별 분석(LDA)을 적용하여 클래스 간 분별력을 최대화하였습니다.

하나의 구체적인 예로, ECG 데이터에서 QRS 복합체의 위치를 정확히 식별하는 것은 매우 중요합니다. 이를 통해 심장 박동의 주요 변동 포인트를 파악할 수 있으며, GA는 이러한 복잡한 신호에서 중요 특징을 추출하는 데 특히 유용합니다. 알고리즘은 여러 후보해를 교차 및 변이시키면서 최적의 특징 조합을 찾아내, 신뢰도 높은 심전도 분류 모델을 개발할 수 있습니다.

이러한 유전자 알고리즘을 통한 접근 방식은 전통적인 방법들에 비해 유연하고, 적응력이 높으며, 더 넓은 범위의 문제에 적용 가능합니다. 따라서 심전도 데이터뿐만 아니라 다양한 의료 데이터에서도 활용될 수 있는 장점을 가집니다.

결론적으로, 이 장에서 설명된 유전자 알고리즘의 적용은 심전도 분석뿐 아니라 질병의 조기 진단 및 선별에 큰 기여를 할 수 있습니다. 특히 대규모 인구 데이터를 처리하는 데 있어서, 이러한 접근 방식은 의료 자원의 효율성을 높이고, 전반적인 건강 관리 시스템의 성능을 개선하는 데 도움이 될 것입니다. 앞으로 이 분야의 발전이 기대되며, 더 많은 임상적 적용으로 그 효과와 유용성이 입증될 것으로 보입니다.

이렇게 진화적 접근 방식을 통해 개선된 분류 시스템은 특히 큰 규모의 의료 데이터 세트를 신속하게 분석하는 데 중요한 역할을 할 수 있습니다. 유전자 알고리즘을 이용한 최적화는 특정 심전도 패턴의 인식률을 높이는 데 중점을 두며, 이는 전통적 알고리즘만을 사용할 때보다 더 정확하고 신뢰도 높은 결과를 도출하는 데 기여할 수 있습니다.

데이터베이스 활용 및 추가적인 연구 방향

MIT BIH 부정맥 데이터베이스와 같은 공개적으로 접근 가능한 리소스를 활용함으로써, 연구자들은 심전도 데이터에 대한 광범위한 테스트와 검증을 수행할 수 있습니다. 이러한 데이터베이스는 다양한 심장 상태를 반영하는 임상적으로 유의미한 데이터를 포함하고 있으며, 이는 알고리즘의 정확성과 범용성을 향상시키는 데 큰 도움이 됩니다.

앞으로 이런 유형의 알고리즘은 더욱 세밀한 조정이 가능해져, 개별 환자의 특성에 맞추어 더욱 정밀하게 조정된 진단 및 치료가 가능해질 전망입니다. 이를 위해서는 향후 연구에서 다음과 같은 몇 가지 주요 방향이 제시될 수 있습니다.

1. **다변량 데이터의 통합과 분석**: 심전도 데이터 외에도 환자의 임상 기록, 생활 습관, 유전 정보 등 다양한 데이터 소스를 통합하여 분석하는 방법을 모색하고자 합니다. 이는 질병의 원인과 진행을 더 정밀하게 이해하는 데 도움이 될 것입니다.

2. **실시간 데이터 처리와 모니터링**: 모바일 건강 모니터링 기기에서

수집된 실시간 데이터를 분석하여 즉각적인 피드백을 제공할 수 있는 시스템을 개발하는 것입니다. 이를 통해 환자의 상태가 악화되는 것을 미리 감지하고 적절한 조치를 취할 수 있습니다.

3. 클라우드 기반 데이터 처리: 대규모 데이터를 효과적으로 처리하고 저장하기 위해 클라우드 기반의 솔루션을 활용하는 방안을 탐구합니다. 이는 데이터 접근성을 높이고, 공동 연구와 자원 공유를 촉진할 수 있습니다.

4. 머신러닝 및 인공지능 기술의 향상: 기존의 유전자 알고리즘 외에도 심전도 데이터 분석을 위한 새로운 머신러닝 모델을 개발하고 기존 모델을 최적화합니다. 이에 따라 알고리즘의 학습 효율성과 분류 정확도를 더욱 높일 수 있습니다.

이러한 연구 방향들이 실현될 경우, 미래의 심전도 분석과 심장 질환 관리는 현재보다 훨씬 정밀하고 효과적이 될 것이며, 많은 생명을 구하는 데 기여할 수 있을 것입니다. 이와 함께, 건강 관리 시스템 전반에 걸쳐 비용 효율성과 접근성이 크게 개선될 것으로 기대됩니다.

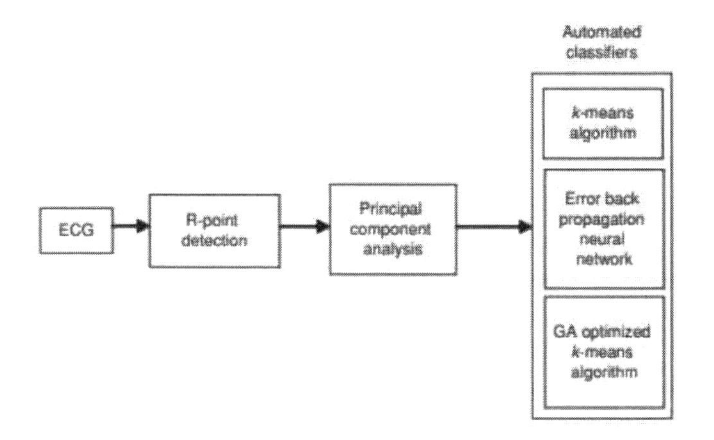

그림 3.1 제안하는 방법론의 시스템 접근 방식

심전도(ECG) 신호의 분석을 위해, 다양한 속도로 수집되는 신호들 간의 일관된 관측 간격을 유지하는 것이 중요합니다. 이를 위해, 두 신호의 샘플링 주파수를 조정하여 비교 가능하게 만드는 것이 필수적입니다. 일단 표준 샘플링 속도가 설정되면, 250헤르츠(Hz)의 표준 리샘플링 기법을 사용하여 결과를 조정합니다. 이러한 리샘플링 방법은 과거 연구에서도 활용된 바 있으며, 빠른 푸리에 변환(Fast Fourier Transform, FFT)을 기반으로 합니다.

오픈 소스 데이터에서는 움직임, 전력선 간섭 또는 외부 노이즈로 인한 근육 아티팩트와 같은 원치 않는 신호가 포함될 수 있습니다. 이러한 신호는 기존의 필터링 방법을 사용하여 효과적으로 제거할 수 있습니다.

심전도의 R-포인트는 심전도 신호에서 진폭이 가장 크며, 다양한 신호 처리 기법을 사용하여 쉽게 찾을 수 있습니다. 우리는 팬-톰킨스 방법을 활용하여 R-포인트를 식별하고, 이를 기반으로 추가 샘플을 선택하였습니다. 또한, 푸리에 변환과 같은 기법과 힐버트 변환 및 웨이블릿 변환과 같은 방법을 사용하여 R-포인트 위치를 정확히 찾는 방법도 문서화되어 있습니다.

팬-톰킨스 기법의 초기 단계는 미분을 계산하고 결과를 평가한 후, 평탄화를 위해 이동 평균 필터를 사용하는 과정을 포함합니다. 이 반복적인 과정에서 첫 번째 도함수의 계산과 필요한 조정이 이뤄지며, 이후 두 번째 도함수를 찾고 추가적인 조정을 수행하여 그래프를 더욱 단순화합니다. 최종적으로, 두 개의 평탄화된 임펄스가 결합된 후 적절한 컷오프가 적용됩니다.

미분은 함수의 기울기를 나타내며, 정류는 음의 값을 양의 값으로 전환시킵니다. 필터링은 R-포인트의 진동을 강화하면서 동시에 노이즈를 줄이는 역할을 합니다. 위치 결정 후에는 현재 사용 중인 모든 필터의 그룹 지연에 해당하는 샘플 수만큼 시간을 거슬러 올라가 R-포인트를 정확히 찾을 수 있습니다. 각 피험자에게서는 R-포인트의 왼쪽에 99개, 오른쪽에 100개의 샘플을 선택하여 총 200개의 샘플을 수집합니다. 이러한 방식으로 모든 참가자들의 ECG 데이터를 철저하게 분석할 수 있습니다.

3.1 주성분 분석 (PCA)

세분화 과정이 완료된 후, 각 참여자에게서 얻은 200개의 샘플로 구성된 세그먼트들이 생성됩니다. 이러한 세그먼트는 높은 차원을 가지기 때문에 자동 분류기를 이용하여 분류하는 경우, 계산 과정에 상당한 부담을 줄 수 있습니다. 만약 우리가 이 200개의 데이터 샘플을 더 적은 수의 주요 구성요소로 효과적으로 나타낼 수 있다면, 특성의 수가 감소함에 따라 분류에 필요한 계산량을 줄일 수 있습니다. 본 연구에서는 데이터의 전체 차원 수를 감소시키기 위해 주성분 분석(PCA)을 활용하였습니다. 주성분 분석을 통해 초기 데이터로부터 새로운 좌표계를 생성할 수 있으며, 이 좌표계는 데이터의 변동성이 가장 큰 방향을 따라 정렬됩니다.

이 투영법을 통해 생성된 새로운 구성 요소들은 데이터의 주요 변동을 포착하고, 첫 번째 주성분이 가장 큰 분산을, 그리고 이후의 각 구성 요소는 점점 작아지는 변동을 설명하게 됩니다. 데이터의 평균을 빼고, 공분산 행렬을 계산한 후, 고유값 분해 방식을 이용하여 이를 분해하고, 고유값이 감소하는 순서대로 고유 벡터를 정렬하여, 이렇게 정렬된 고유 벡터를 사용하여 새로운 축에 데이터를 투영합니다. 이 모든 과정은 필수적인 컴포넌트를 계산하기 위해 수행됩니다. 주성분 분석 중에는 전체 신호 에너지의 98% 이상을 설명할 수 있는 주요 성분들만을 고려합니다.

k-평균 알고리즘을 시작하는 한 방법은 시작점으로 활용될 k개의 클러스터 중심을 무작위로 선정하는 것입니다. 패턴 그리드에서 무작위로 선택된 첫 k개의 패턴은 시작점으로 사용됩니다. 첫 번째 클러스터 중심은 패턴들의 중심으로 설정되며, 후속 클러스터 중심들은 이전 클러스터 중심과 정해진 거리만큼 떨어진 위치에 선택됩니다. 각 디자인이 해당 카테고리로 분류되는 기준은 유클리드 거리의 최소값을 기반으로 합니다. k-평균 클러스터링 전략은 로컬 최소값에 수렴하는 경향 때문에, 시작점에 따라 결과가 달라질 수 있으므로, 여러 번 실행하여 글로벌 최소값에 도달했는지 검증할

필요가 있습니다. 클러스터링 결과의 변화가 없을 때 k-평균 알고리즘이 종료됩니다.

K-평균 접근법의 계산 비용은 $O(NdkT)$으로, 여기서 N은 패턴의 총 개수, d는 특성의 개수, k는 클러스터의 개수, T는 반복 횟수를 나타냅니다. 이러한 접근방식은 자연 유전학에서 발견할 수 있는 기본 원리를 활용하는 유전 알고리즘(GA)과 함께 사용되어, 최적의 클러스터 중심을 찾는데 기여합니다.

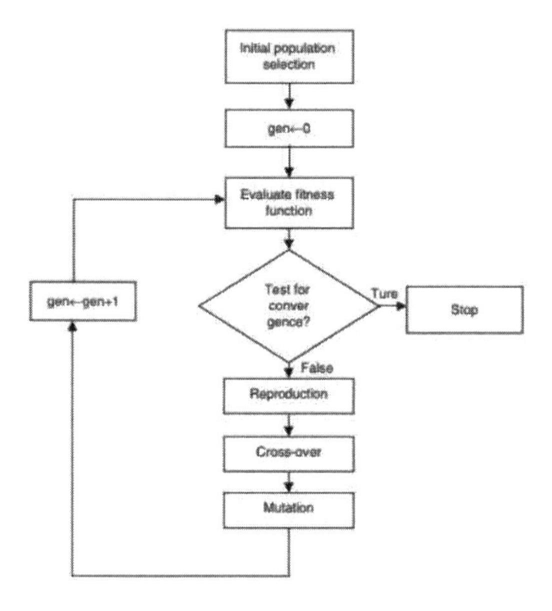

그림 3.2 유전 알고리즘 기반의 클러스터 중심 최적화

k-평균 클러스터링과 함께, 유전 알고리즘은 특히 클러스터 중심의 결정을 최적화하기 위해 사용됩니다. 이 유전 알고리즘은 **선택(또는 재생산)**, **크로스오버**, **돌연변이**라는 세 가지 주요 연산자를 사용합니다.

선택 과정에서는 각 개체(해결책)의 적합도에 따라 다음 세대에 전달될 개체가 결정됩니다. 적합도가 높은 개체는 더 많은 후손을 남

길 기회를 얻어, 알고리즘의 핵심 아이디어인 "적자생존"을 따릅니다. 적합도는 어떻게 측정되냐에 따라 다르게 정의될 수 있으나, 일반적으로는 목표 함수의 값을 기반으로 합니다.

크로스오버 연산은 두 개체의 특성을 결합하여 새로운 개체를 생성합니다. 이 과정은 다양한 방식으로 실행될 수 있는데, 일반적으로 한 지점 또는 다중 지점에서 이 두 개체의 염색체를 교차하여 새로운 염색체를 형성합니다. 이 연산은 유전적 다양성을 유지하는 데 중요한 역할을 합니다.

돌연변이 연산은 새로운 유전적 변이를 도입하여 인구 내 다양성을 증가시키고 지역 최적해에 갇히는 것을 방지합니다. 각 세대에서 소수의 개체에만 무작위로 돌연변이가 적용되며, 이는 염색체의 일부를 임의로 변형하여 새로운 특성을 발현시키거나 기존의 특성을 변화시킵니다.

유전 알고리즘의 이러한 과정들은 반복적으로 실행되며, 각 반복을 거치면서 평균적인 적합도가 점차 향상됩니다. 이 과정은 사전에 정의된 종료 조건이 만족될 때까지 계속됩니다. 종료 조건은 최대 세대 수의 도달, 적합도 값의 일정 기간 동안의 미미한 변화, 또는 목표 달성 등 다양할 수 있습니다.

k-평균 알고리즘과 유전 알고리즘을 결합함으로써, 우리는 데이터 세트 내에서 자연스럽게 형성되는 그룹을 더 정확하고 효율적으로 식별할 수 있습니다. 이러한 접근 방식은 특히 대규모 또는 복잡한 데이터 세트에서 효과적이며, 많은 실제 문제들, 특히 생물 정보학과 같은 분야에서 유익한 결과를 제공합니다.

이 연구는 m-배 교차 검증을 통해 각 모델의 일반화 능력을 평가함으로써, 얻어진 분류기의 성능을 검증합니다. 이 방법을 사용함으로써, 우리는 모델이 훈련 데이터에 과적합되지 않도록 보장하고, 실제 세계 데이터에 대한 모델의 예측 능력을 보다 정확하게 평가할 수 있습니다.

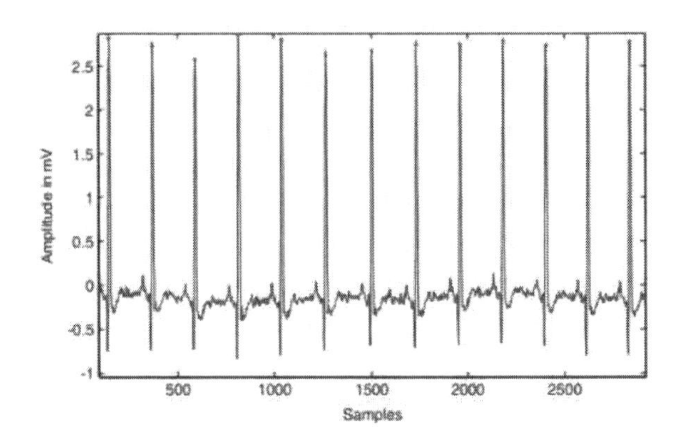

그림 3.3 정상 부비동 리듬 ECG에서 R-포인트 감지:
R-포인트는 빨간색 별표로 표시됨.

제안된 방법론은 두 가지 유형의 패턴 분류 문제에 적용되며, MIT BIH 정상 부비동 리듬 및 MIT BIH 세동 데이터베이스에서 추출된 심전도(ECG) 특성을 활용합니다. 이 연구에서는 팬-톰킨스 방법을 주요 전략으로 활용하였습니다.

심전도(ECG)는 복합체의 개별 구성 요소를 분석함으로써 QRS 복합체를 해석할 수 있습니다. 이 알고리즘은 각 필터의 그룹 지연을 계산하며, 동일한 수의 샘플을 사용하여 시간을 조정하는 등의 미세 조정을 통해 R-포인트의 정확한 위치를 찾는 단계를 포함합니다. 팬-톰킨스 방법은 사용의 편의성과 신뢰성으로 인해 R-포인트 결정을 위해 선택되었습니다. R-포인트의 위치는 그림에 빨간색 별표로 표시되었습니다. 이 과정에는 차이, 평균화 등의 선형 필터링 단계와 정류 같은 비선형 단계가 포함됩니다.

R-포인트를 정확히 식별하고 나면, 심전도 신호는 200개의 샘플로 구성된 프레임으로 분할됩니다. 이 중 100개는 R-포인트의 오른쪽에서, 나머지 99개는 왼쪽에서 추출됩니다. 주성분 분석은 이 200개의 샘플을 출발점으로 사용하여, 가능한 해결 방안을 좁혀나가는 데 사용됩니다. 주성분 분석은 데이터를 최대 변동성이 있는 방향으로 투영하여 필요한 샘플 수를 최소화합니다. 이 방법을 사용하면, 각 주성분의 방향에서 발견되는 변동성의 양이 줄어들어, 데이터의 중요한 정보를 보존하면서 차원을 축소할 수 있습니다.

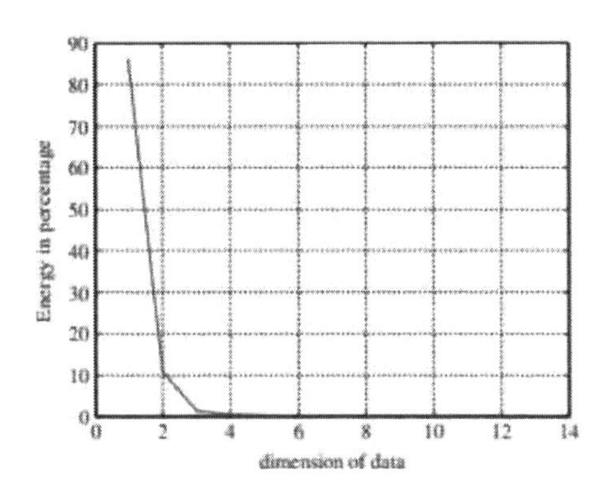

그림 3.4. 차원에 따른 PC의 에너지 프로파일

클러스터링 작업에 있어서, EBPNN 방식은 K-평균 방식보다 우수한 성능을 보여주었습니다. 이 연구에서는 네트워크의 훈련 과정 중 평균 제곱 오차(MSE)가 점차 감소하는 것을 목표로 하였습니다. 이런 접근법은 신경망이 안정된 상태에 이르렀을 때, 즉 정해진 MSE 임계값 이하로 오차가 감소했을 때 훈련을 종료합니다. 이 연구에서는 네트워크가 단 26 반복 후에 안정화되는 것으로 나타났으며, 최종적으로 약 97.2527%의 높은 정확도를 달성하였습니다.

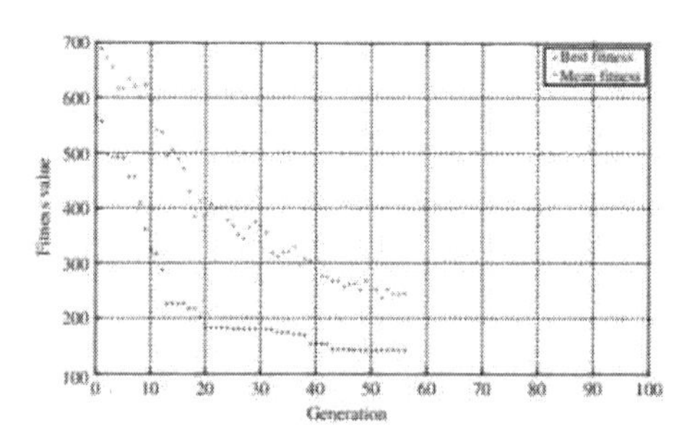

그림 3.5. GA 분류 과정에서 세대별 적합성 값 감소

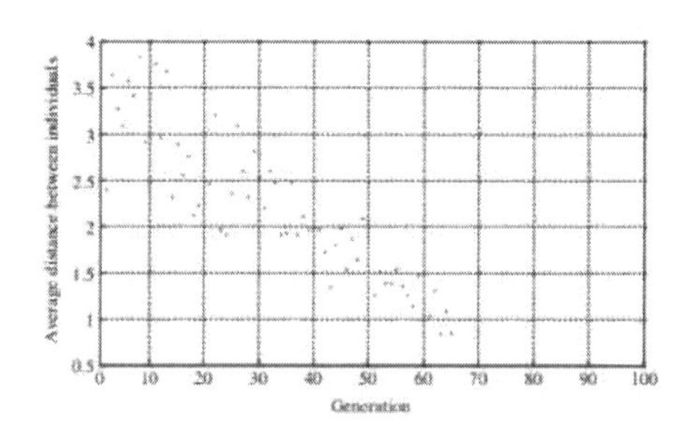

그림 3.6. GA 분류에서 각 세대의 최고, 최악, 평균 점수와 개별 간 평균 거리 감소

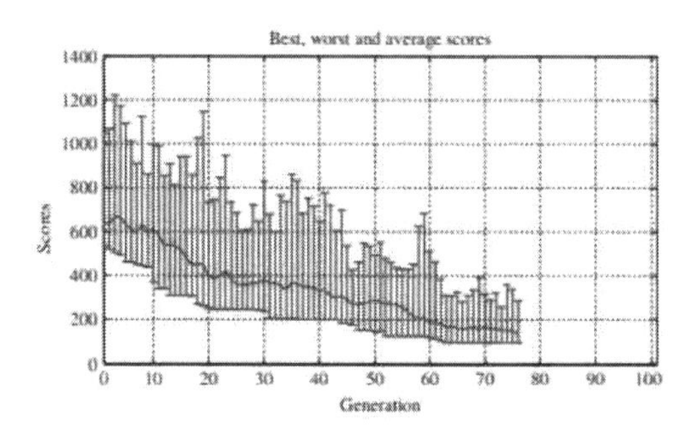

그림 3.7. GA 분류에서 각 세대의 최고, 최악, 평균 점수와 개별 간 평균 거리 감소

고려된 목적 함수를 바탕으로, 최적화 과정에서 예상대로 최대 적합성 및 중앙 적합성이 모두 감소하는 경향을 보였습니다. 이는 세대가 진행됨에 따라 평균뿐만 아니라 가능한 최고 적합성 값도 점차 낮아진다는 것을 의미합니다. GA의 진행과 함께 각 세대의 개체군이 더 나은 건강과 활력을 지니게 됨으로써, 전체 시스템의 효율성이 향상됨을 나타냅니다. 이 연구 결과를 통해 심전도 수치를 정상 부비동 리듬 또는 부정맥으로 효과적으로 분류할 수 있음이 확인되었습니다.

3.2 폐암 및 대장암 진단 보조

컴퓨터 보조 진단(CAD)은 방사선 전문의와 의사의 진단을 보조함으로써, 최근 몇 년간 매우 중요한 연구 분야가 되었습니다. 의료 전문가들은 종종 CAD 소프트웨어를 활용하여 종양을 찾는 데 의존하고 있습니다. 이 기술은 흉부 방사선 사진에서 폐 종양을 식별하거나 CT 대장 조영술(CTC, 또는 가상 대장 내시경)에서 용종을 식별하는 등의 컴퓨터 보조 진단 기법을 개발하는 데에 유용하게 사용되었습니다. 의료 영상에 존재하는 다양한 요소, 예를 들어 종양이나 기타 장기들은 단순한 계산만으로는 정확하게 묘사될 수 없으므로, 기계 학습의 적용은 CAD의 효과성을 크게 향상시키는 데 필수적입니다.

예를 들어, 많은 폐 결절들이 매끄러운 원통형 덩어리로 묘사될 수 있지만, 실제로는 내부의 불균일성을 가진 가시적 결절이나 분쇄 유리 결절이 존재합니다. 장의 용종 역시 일반적으로 둥글고 커진 성장으로 오해될 수 있으나, 사실 일부 용종은 편평한 모양을 가질 수 있다는 사실이 입증되어 있습니다. 의료 영상에서 판단을 내리는 과정은 대부분 과거 데이터를 바탕으로 추정을 수행하기 때문에, CAD 시스템에서는 머신러닝을 사용하여 종양을 여러 유형으로 분류하는 등의 작업을 수행합니다.

최근 계산 기술의 발전으로 픽셀/복셀 기반 머신러닝(PML)이 등장하였으며, 이는 의료 영상 처리 및 분석 분야에서 중요한 도구가 되었습니다. PML은 이미지의 픽셀 또는 복셀 값을 직접 입력으로 사용하며, 별도의 특성 계산이나 분할 작업 없이도 의료 사진에서 다양한 불투명도를 구분할 수 있는 모델을 개발할 수 있게 해줍니다. 이는 기존의 분류 방법인 선형 판별 분석과 같은 기법과 통합되었습니다.

이 장에서는 폐 질환과 대장 질환의 진단을 보조하기 위한 컴퓨터 보조 진단 알고리즘의 중요한 도구로써 PML의 하위 범주인 다중 레이어 트레이닝 어노테이션 네트워크(MTANN)를 소개합니다. MTANN의 적용은 저선량 흉부 방사선 촬영에서 폐 결절을 감지하거나, CT에서 폐 종양을 정확히 감별하고, 흉부 방사선 사진에서 갈비뼈와 쇄골의 영상을 억제하며, CTC에서 용종을 정확히 감지하는 데 유용하게 사용되었습니다. 이로 인해 위양성률이 현저히 감소하였으며, 이러한 연구 결과는 여러 학술지에 게재되어 그 효과가 검증되었습니다. 이 모든 기법들은 의료 영상에서 보다 정확한 진단을 가능하게 하여, 최종적으로 환자의 치료 결과를 개선하는 데 기여할 수 있습니다.

3.3 병변 강화를 위한 MTANN 필터

픽셀/복셀 기반 머신 러닝(PML) 전략은 의료 영상에서 실제 종양의 가시성을 개선하는 목적으로, 특별히 개발된 PML의 한 형태인 MTANN 필터를 포함합니다. 이 MTANN 필터는 선형 출력 인공 신경망(ANN) 모델 또는 서포트 벡터 회귀(SVR) 모델과 같은 머신 러닝 회귀 모델을 기반으로 구축되었습니다. 이러한 모델들은 픽셀 또는 복셀 데이터를 직접 처리할 수 있는 능력을 가지고 있으며, 모델 출력에 MTANN 필터를 적용하여 원하는 결과를 생성합니다. 또한, MTANN에는 회귀를 수행하는 서포트 벡터 머신(SVM)이 통합되어 있습니다.

MTANN 필터를 훈련시키기 위하여, 입력된 CT 이미지와 해당 이미지의 "암 가능성" 맵을 포함하는 "교육용" 이미지가 사용됩니다. 원시 CT 이미지와 교육용 이미지는 MTANN 필터의 효과적인 훈련을 위해 제공됩니다. 초기 이미지에서 복구된 영역 내의 픽셀 값은 MTANN 필터의 입력으로 사용됩니다.

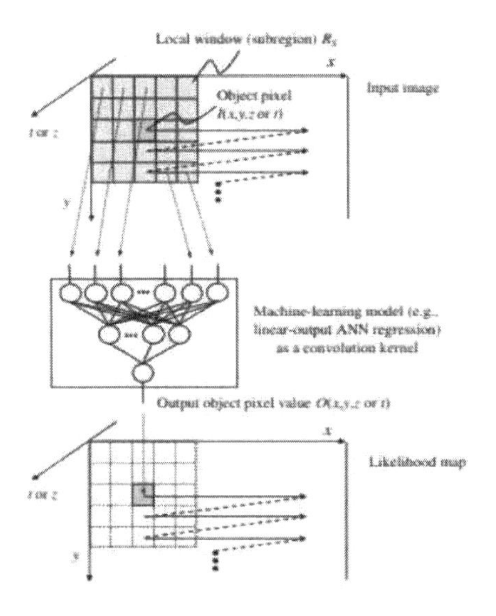

그림 3.8. 하위 영역 입력과 단일 픽셀 출력을 가진 머신러닝 모델(예: 선형 출력 ANN 회귀 모델 또는 서포트 벡터 회귀)로 구성된 PML(예: MTANN) 기법의 구조

3.4 MTANN 필터 훈련

"병변 획득 위험" 맵이 포함된 교육용 그래픽 T를 사용하여 CT 이미지의 병변을 강조하고 배경 잡음을 줄일 수 있습니다. 병변의 수동 분할은 훈련 영상을 생성하는 첫 단계로, 이 과정에서 병변에 속하는 픽셀은 1의 값을, 병변이 없는 영역은 0의 값을 갖는 이진

이미지를 생성합니다. 이후 이진 영상은 가우시안 스무딩 과정을 거치며, 이는 병변 경계에서 멀어질수록 병변일 가능성이 감소하게 합니다.

학습 과정에서는 바이너리 교육용 그래픽을 활용하지 않았을 때에 비해, MTANN 필터는 "대규모 하위 영역 훈련" 방식을 채택하여 다양한 픽셀과 하위 영역 조합을 통해 학습됩니다. 입력된 CT 이미지는 훈련 이미지를 생성하는 데 사용되며, 이 이미지는 작은 섹션으로 세분화되어 처리됩니다. 이 과정은 인접한 영역의 경계가 흐릿해지는 것을 방지하며, 추출된 픽셀은 각각의 교육 값으로 활용됩니다.

이러한 유형의 인공 신경망을 "대규모 학습 ANN"이라고도 하며, 여러 입력 하위 영역과 각 영역의 관련 단일 픽셀을 함께 사용하여 학습됩니다. MTANN 필터의 학습 오류는 다음 식을 통해 계산됩니다: 여기서 c는 학습 샘플의 수, Oc는 c번째 샘플에 대한 MTANN의 출력, Tc는 c번째 샘플에 대한 학습 목표 값, P는 학습 이미지 픽셀 수, RT는 학습의 반응 시간을 나타냅니다. 학습 과정은 선형 출력 역전파 기법을 사용하여 최적화되며, 일반화된 델타 규칙을 통해 선형 출력 ANN 구조의 훈련을 진행합니다.

학습된 MTANN 필터는 의료 이미지에서 병변을 강화한 후 잠재적 병변 후보를 식별하는 데 사용될 수 있습니다. 이는 임계값 설정과 같은 간단하면서도 효율적인 기술을 사용하여 수행되며, 그 결과는 병변의 수와 정상 구조의 수의 차이를 기반으로 합니다. 이 연구에서는 다중 임계값, 영역 스트레칭, 레벨 세트 분할, 능동 윤곽 분할 등 다양한 대안이 성공적으로 활용될 수 있음을 보여줍니다.

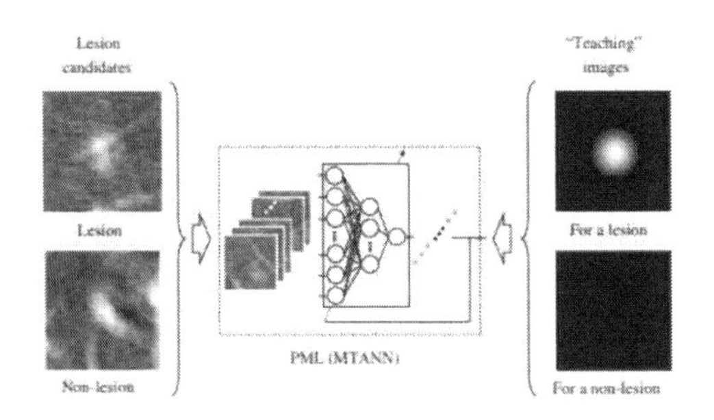

그림 3.9. 병변(예: 결절) 또는 비병변(예: 비결절)으로 데이터를 분류하기 위한 PML 기법(즉, MTANN)의 훈련. 병변에 대한 교육 이미지는 이미지 중앙에 가우시안 분포를 포함하는 반면, 비병변에 대한 교육 이미지는 0을 포함함(즉, 완전히 어두움).

RT라고 하는 훈련 영역(또는 볼륨)을 입력 이미지에서 추출한 후,

훈련 샘플을 강화하기 위해 픽셀 단위로 겹치는 많은 하위 영역으로 세분화합니다. 개별 픽셀은 각각 해당하는 학습 영역에서 추출하여 학습 값으로 사용됩니다. 이러한 다수의 입력 하위 영역을 각각 해당하는 하위 영역에 속하는 단일 픽셀과 함께 사용하여 MTANN을 대규모로 학습합니다. 훈련이 완료된 후, MTANN은 병변이 그 하위 영역의 중심에 위치할 때 가장 높은 값을 출력하고, 중심으로부터의 거리가 멀어질수록 출력 값이 감소합니다. 만약 입력 하위 영역에 병변이 없는 경우에는 출력값이 0이 됩니다.

가우시안 그레이딩 함수의 표준 편차는 r입니다, 평가 영역의 중심은 이 함수가 위치한 곳(RE)에 있습니다. n번째 학습된 MTANN의 출력 영역은 RE를 중심으로 하는 $O_{x, y, z}$ 또는 O_t 영역이 될 수 있으며, 이 영역은 직사각형 또는 삼각형의 형태일 수 있습니다. 학습된 MTANN의 결과(출력)를 분포에 통합하기 위해 가우시안 가중치 함수를 사용합니다. 가우시안 함수가 선택된 이유는 MTANN의 출력이 훈련 동안 사용된 가우스 분포와 유사할 것으로 예상되기 때문입니다. 이는 특정 장소에서 병변이 존재할 가능성에 대한 누적 가중치 추정치를 제공하며, 여기에서 높은 점수는 종양의 존재를, 낮은 점수는 종양이 없음을 나타냅니다.

그림 3.10은 병변 후보를 병변 또는 다양한 유형의 비병변으로 분류하기 위한 전문가 MTANN의 혼합 구조를 보여줍니다. 이 구조는 병변과 가짜 양성(FP)을 구분하기 위해 단일 MTANN 기능을 향상시키고 전문가 MTANN의 혼합을 개발하여, 이를 통해 종양과 FP를 식별하는 능력에 도달했습니다. 개인 그룹은 병렬 구성으로 다수의 MTANN을 포함합니다. 각각의 MTANN는 동일한 병변 사례 집합뿐만 아니라 병변이 포함되지 않은 완전히 다른 사례 집합에 노출되어 교육받습니다. 이렇게 함으로써 각 MTANN은 특정 유형의 병변을 인식하는 전문가 역할을 하며, 비병변 특징을 식별할 수 있습니다. 여러 전문가 MTANN의 결과는 합성 인공 신경망에서 평균을 내어 병변과 비병변을 별도의 카테고리로 분류하는 데 사용됩니다.

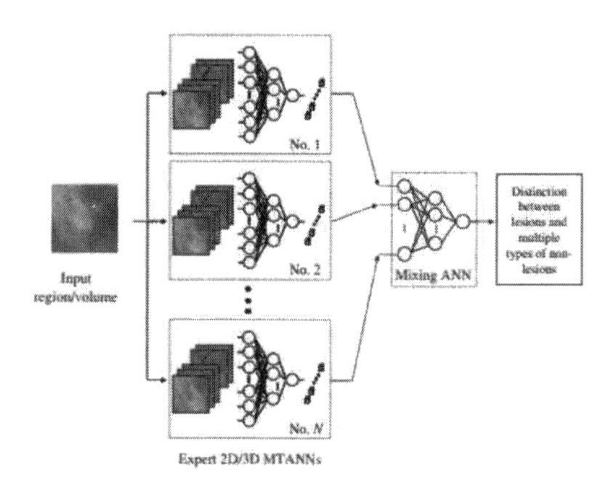

그림 3.10. 병변 후보를 병변 또는 다양한 유형의 비병변으로 분류하기 위한 전문가 MTANN의 혼합 구조

3.5 전문가 MTANN의 혼합

연구자들은 병변과 비병변(가짜 양성, FP로도 불림)을 구분하기 위해 단일 MTANN의 기능을 개선하고, 특수화된 전문가 MTANN의 혼합 방식을 개발했습니다. 이를 통해 FP와 병변 간의 구분이 가능하게 되었으며, 이는 우리가 종양과 FP를 효과적으로 구별할 수 있는 능력을 갖추게 해줍니다. 이 절에서는 설계된 전문가 MTANN 집합의 구조를 설명합니다. 각각의 전문가 MTANN은 다수로 구성되어 병렬 구조를 이루며, 각각은 동일한 병변 사례 집합뿐만 아니라 병변이 없는 완전히 다른 사례 집합을 학습합니다.

각 MTANN은 결절 및 기타 병변 유형을 인식하는 전문 역할을 수행합니다. 또한, 질병이 아닌 특정 분류의 특징인 비결절 식별 역할도 수행합니다. 다수의 전문가 MTANN이 생성한 결과는 혼합 인공 신경망(ANN)에서 평균화되어, 병변과 비병변을 구분하는 데 활용됩니다. 이 혼합 ANN은 지속적인 출력과 학습 값을 관리하기 위해 선형 출력 역전파 훈련 방식을 채택한 선형 출력 ANN 모델을 기반으로 구성됩니다. 입력, 은닉, 출력층의 각 단위는 동일성 함수, 시그모이드 함수, 선형 함수 등 세 가지 유형의 활성화 함수로 구성됩니다. 출력층의 유일한 단위는 병변과 그렇지 않은 상태를 구분하는 역할을 합니다.

전문가 MTANN의 점수는 각 입력 유닛에 대해 결합되며, 이는 결합 ANN에 사용되는 전문가 MTANN의 수(N)와 동일합니다. 각 전문가 MTANN에 할당된 숫자는 그 MTANN이 학습된 맥락에서 병변과 비병변을 구분하는데 사용된 특징의 집합을 나타냅니다. 혼합 ANN을 통해 얻은 c번째 손상 후보에 대한 설명은, NN이 모델의 선형 출력 ANN 출력을 나타내고, n은 MTANN의 숫자를 나타냅니다. 병변과 관련된 학습 값에는 1이 할당되고, 병변이 아닌 것과 관련된 학습 값에는 0이 할당됩니다. 하나의 병변을 제외하고 교차 검증하는 방법을 사용함으로써, 혼합 ANN은 보다 정확하게 훈련될 수 있습니다.

훈련이 완료된 후, 혼합 ANN은 병변이 존재할 때 높은 출력 값을 반환하고, 병변이 없을 때는 낮은 출력 값을 반환합니다. 이 결과는 임계값 설정을 통해 데이터를 병변 관련 또는 비병변 관련으로 분류하는 데 사용될 수 있으며, 임계값 결정에 따라 진양성률과 오양성률의 우선순위가 결정됩니다. 각 전문가 MTANN에서 얻은 점수가 해당 전문가가 학습된 비감염 유형을 정확하게 특징짓는다면, 여러 전문가의 조합으로 구성된 ANN을 통해 다양한 범주의 병변 및 다른 유형의 비병변을 정확하게 구별할 수 있습니다.

3.6 폐 결절 검출을 위한 CAD 체계

폐암은 오랜 기간 동안 미국에서 남성과 여성 모두에서 사망률이 가장 높은 암 유형인 것으로 알려져 있습니다. 이는 유방암, 위장관암, 전립선암의 연간 사망자 수를 합친 것보다도 많습니다. 연구에 따르면 폐암을 조기에 발견하여 치료를 시작할 경우 예후가 좋아질 가능성이 높습니다. 이와 같은 배경에서, 1970년대 미국과 유럽에서 폐암 모니터링 프로그램이 시작되었습니다. 이 프로그램은 조기 진단을 목표로 흉부 방사선 촬영과 객담 세포 검사를 활용했습니다.

1990년대 초, CT 영상 기술이 발전함에 따라, 저선량 나선형 CT를 이용한 폐암 조기 진단 검진이 시작되었습니다. 이 검진 방법은 폐암으로 인한 작은 종양을 조기에 발견하는 데 흉부 방사선 촬영보다 더 효과적이었습니다. 또한, 최근에는 MDCT(다중 검출기 행 컴퓨터 단층 촬영)라고 하는 고급 기술이 폐암 식별에 사용되었습니다. 하지만 나선형 CT와 MDCT는 많은 수의 이미지를 생성하며, 이를 모두 임상의가 해석해야 하는 도전이 따릅니다. 이러한 상황은 의료 전문가에게 정보 과부하를 일으킬 수 있습니다.

이와 더불어, 의료진은 CT 영상을 검토하다가 나중에 악성으로 확인되는 종양을 놓칠 수 있습니다. 따라서 폐암 모니터링 도구로서 CT 이미지에서 폐 결절을 인식하는 컴퓨터 보조 진단(CAD) 방법론에 대한 연구가 중요해졌습니다. CAD 방법은 영상의학 전문의의 진단을 보조하여 정량적 검출 결과를 2차 소견으로 제공하며, 놓친 종양까지 발견할 가능성을 높입니다.

CAD 시스템의 효율성을 평가하기 위해, 69명의 환자로부터 촬영한 69장의 폐암 CT 이미지를 포함한 데이터 세트를 수집했습니다. 이 이미지들은 120kVp, 25 또는 50mA의 저선량 설정, 10밀리미터의 콜리메이션 및 재구성 간격을 사용하여 촬영되었습니다. 각 CT 스캔에서는 2의 나선형 피치를 사용하며, 이미지의 측면 길이는 512픽셀, 재구성된 스캔의 세그먼트 폭은 10밀리미터였습니다. 이 분석을 통해 총 2,052개의 서로 다른 구성 요소가 수집되었으며, 모든 악성 종양 사례는 수술 절차를 통해 확인되었습니다.

CAD 시스템의 효과적인 활용을 위해, CT 스캔에서 폐 영역을 분리하기 위한 Otsu의 임계값 계산을 사용하였고, 이를 통해 이미지 분석을 폐 영역으로 한정하였습니다. 이후, 흉막에 인접한 종양을 명확히 하기 위해 롤링볼 절차를 적용한 분리된 폐 윤곽을 따라 진행하였습니다. CAD 체계에서는 MTANN 필터를 이용하여 '결절일 가능성'이 높은 교육용 이미지와 함께 훈련 컬렉션을 구성하여, 폐 종양의 식별력을 강화하였습니다.

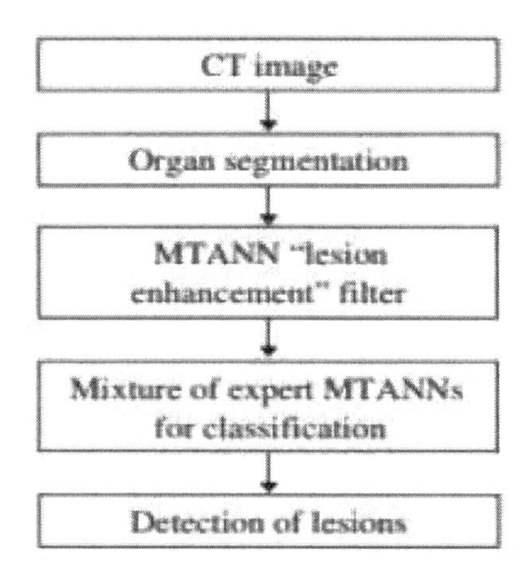

그림 3.11. 폐 결절 검출을 위한 CAD 체계에서 MTANN 감독 병변 강화 필터와 전문가 MTANN 혼합 사용의 순서도

수학적 형태 압축 필터를 적용하여 형태학적으로 뚜렷한 폐 조직 그룹을 훈련 영역(RT, 이진 영역이라고도 함)으로 변환했습니다. 이 과정은 종괴 및 그에 인접한 규칙적인 구조가 훈련 영역에 효과적으로 포함되도록 하기 위해 수행되었습니다. 이 영역은 결절 영역보다 평균적으로 9배 더 큽니다.

MTANN 필터는 연속 매핑이 대략적으로 3계층 A 구조로 표현될 수 있다는 가설을 기반으로 개발되었습니다. 다양한 프레임워크 구축 기법을 검토한 결과, 최적의 숨겨진 유닛 수는 20개라는 결론을 도출했습니다. 이전의 조사에서 입력 하위 영역인 RS의 총 면적이 9 x 9 x 9 픽셀임을 확인했습니다.

선형 함수의 기울기는 0.001로 설정되었습니다. 상술한 파라미터를 바탕으로, 총 100만 회 반복하여 MTANN 필터를 학습시켰습니다. 훈련된 MTANN 필터는 폐 전체 영상에 적용되어 성능을 평가할 수 있도록 테스트되었습니다. 훈련된 MTANN 필터의 출력 이미지에 임계값을 적용하였으며, 이를 통해 잠재적인 결절 후보를 식별할 수 있었습니다. 결절 후보를 발견하는 과정에서 MTANN 필터를 사용했을 때와 사용하지 않았을 때의 결과를 비교 분석했습니다. 첫 번째 CT 스캔에 대해 이전에 학습된 MTANN 필터를 적용하였습니다.

그림 3.12에서는 MTANN 필터를 사용하여 병변을 개선한 사례를 보여줍니다. A는 결절이 있는 세분화된 폐의 원본 이미지를, B는 훈련된 병변 강화 MTANN 필터의 출력 이미지를 나타냅니다. 출력 이미지에서는 결절이 강화되는 동시에 대부분의 정상 구조는 억제되었습니다. 이는 MTANN 필터의 효과적인 적용을 보여주는 예

시입니다.

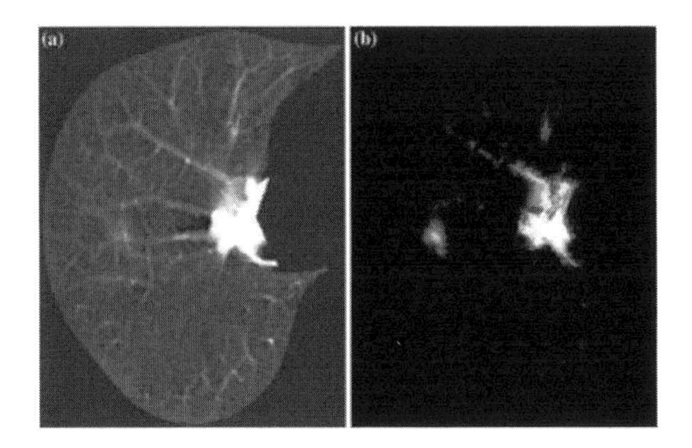

그림 3.12 MTANN 필터를 사용하여 병변을 개선한 사례: A는 결절이 있는 세분화된 폐의 원본 이미지를, B는 훈련된 병변 강화 MTANN 필터의 출력 이미지를 나타냄.

훈련되지 않은 사례에 대한 훈련된 병변 강화

다음 이미지에서 보듯이, 훈련된 다중 작업 자동 신경망(MTANN; Multi-Task Automated Neural Network) 필터는 CT 스캔에서 결절을 강조하며 대부분의 정상 구조는 억제합니다. 결절이 포함된 출력 이미지에서도, 중소형 및 대형 혈관이 여전히 존재함에도 불구하고, 스파이큘레이션(spiculation)이 있는 결절은 매우 효과적으로 강화되었습니다. 훈련된 MTANN 필터를 사용하여 생성된 이미지에 임계값을 적용하였을 때, MTANN을 사용하지 않고 기본 임계값만을 적용했을 때와 비교하여 결절 후보의 수가 현저히 감소하였습니다.

일반적으로 잠재적 결절 중에는 진실 양성(true positive; TP)보다 오탐(false positive; FP)인 경우가 더 많습니다. 이에 따라 우리는 MTANN 필터를 사용하여 잠재적 종양 부위와 정상 조직을 구분할 수 있도록 훈련하여, 잘못된 탐지의 수를 줄였습니다. 훈련 예시로는 다양한 크기와 명도의 결절 이미지 10장과 결절이 아닌 중간 크기 및 작은 동맥 이미지 10장을 사용했습니다. 실험 과정에서는 MTANN의 하위 영역 크기, 학습 이미지에서의 2D 가우스 함수의 표준 편차, 그리고 학습 이미지 자체의 높이를 조정하는 작업 등 다양한 변수를 설정하였습니다. MTANN은 다중 작업을 수행하는 자동화된 신경망을 의미하며, 이 수치는 각각 9, 5, 19의 픽셀로 설정되었습니다.

3계층 인공 신경망(ANN)이 모든 연속 함수를 복제할 수 있음이 정량적으로 입증되었기 때문에, 우리는 MTANN에 3계층 구조를 사용하기로 결정하였습니다. 이러한 구조를 통해 MTANN 내에서 숨겨진 유닛 20개를 개발했습니다. 결과적으로 생성된 단위의 총 수는 1개, 입력된 단위의 총 수는 81개, 숨겨진 단위의 총 수는 20개입니다. 언급된 특성을 바탕으로 수행된 훈련은 총 500,000회 반복되었으며, 이로 인해 MTANN의 평균 절대 오차는 0.112에 이르렀습니다.

훈련된 MTANN은 훈련 세트에 포함되지 않은 데이터를 식별하도록 설정되어 테스트를 거쳤습니다. 학습된 MTANN으로 처리된 이미지는 다양한 크기와 밀도의 실제 결절을 명확하게 나타내며, 다양한 크기 및 방향의 실제 혈관과 거의 일치하는 모습을 보여줍니다.

훈련 라이브러리에서 정상 결절 이미지 10장, 중간 혈관, 작은 혈관, 큰 혈관, 연조직 불투명도, 비정상 불투명도 이미지 10장을 사용하여 6명의 전문가 MTANN에게 학습시켰습니다. 이 교육을 통해 결절과 다른 유형의 불투명도를 효과적으로 구분할 수 있었습니다. 이 학습 과정에서 이전에 언급한 다양한 유형의 혈관과 불투명도 사례도 포함하였으며, 이를 통해 MTANN은 더욱 정교한 구분

능력을 갖추게 되었습니다. 이러한 광범위한 교육 후, 훈련되고 숙련된 MTANN은 제공된 CT 이미지에서 종양의 존재를 강조하면서도, 다양한 크기의 기관지 동맥과 같은 일반적인 구조들을 효과적으로 숨기는 능력을 보여주었습니다. 종양일 가능성에 대한 점수를 얻기 위해 6개의 서로 다른 전문가 MTANN의 결과를 조합하여, '전문가 분류 MTANN'을 생성했습니다. 이 과정을 통해 전문가의 분석을 종합적으로 결합할 수 있었습니다.

임상적 의사결정을 지원하기 위해 생성된 전문가 MTANN의 성능을 평가하기 위해 교차 검증 전략인 Leave-One-Out 방법을 사용했습니다. 또한 자유 응답 수신기 운영 특성(Free-Response Receiver Operating Characteristic; FROC) 분석을 적용하여 MTANN 병변 강화 필터 및 분류 MTANN 기반 CAD(Computer-Aided Detection) 전략의 효용성을 평가했습니다. 총 69개의 폐암 사례를 포함한 테스트 셋에 이 방법을 적용한 결과, MTANN 병변 강화 필터를 사용한 경우 섹션당 평균 6.7개의 거짓 양성(focal positive; FP)으로 97%(67/69)의 악성 종양을 식별할 수 있었습니다. 기존 CAD 전략에서는 반복적인 임계값을 적용한 차이 영상 기법을 사용하여 섹터당 19.3개의 FP로 96%(66/69)의 악성 종양을 식별할 수 있었습니다.

이러한 결과는 MTANN 병변 강화 필터가 CAD 시스템의 민감도와 특이도를 강화할 수 있음을 보여줍니다. 실제 결절 여부를 확인하는 과정에서 MTANN을 통해 미리 분류된 경우, 전체 비결절 중 60%(8,172개/13,688개)를 제거할 수 있었으며, 이는 각 1~10개의 실제 결절만이 손실된 결과였습니다. 결국 MTANN 기반 CAD 전략은 섹션당 FP 숫자에 기반하여 96%(66/69) 또는 84%(57/69)의 민감도를 달성했으며, 이는 기존의 CAD 방법론에서 피쳐 분석과 규칙 기반 접근 방식으로는 해결할 수 없었던 문제들에 대한 개선을 의미합니다.

마지막으로, 선형 판별 분석(Linear Discriminant Analysis; LDA)을 완료한 후, 저희가 개발한 CAD 기법이 최종 민감도 84%(57/69)를 보이며, 각 섹션에 1.4(2,873/2,052)개의 FP를 할당한 결과를 얻었습니다. 이는 문서화된 이전 CAD 전략을 활용하여 FP 비율을 절반으로 줄이는 동시에 민감도를 유지하는 데 성공했음을 보여줍니다. 이는 MTANN을 통한 CAD 접근방식의 효과와 효율성을 잘 나타내는 예입니다.

3.7 씬 슬라이스 CT를 위한 CAD 방식

우리는 다중 감지기 행 CT(Multi-Detector Row CT; MDCT) 장비에 4개의 감지기를 사용하여 얇은 슬라이스의 CT 사진 모음을 수집하였습니다. 이 과정에서 32명의 다른 환자로부터 취득한 32개의 스캔에서 총 62개의 종양을 확인하였습니다. 이러한 사진은 여러 개의 감지기를 포함한 카메라로 촬영되었습니다. MDCT 운용 중 평균적으로 총 186건의 CT 스캔이 수행되었으며, 슬라이스의 두께는 1.0~2.5mm 범위였습니다. 각 CT 섹션에서는 512×512 픽셀의 이미지 매트릭스를 활용하였고, 결절의 직경은 5mm에서 30mm까지 다양하였습니다. 두 명의 흉부 방사선 전문의가 모든 결절에 대해 일치된 판단을 내렸습니다.

그림 3.13에서는 (A) 다양한 유형의 결절과 해당 훈련된 MTANN에서의 출력 이미지, (B) 다양한 크기의 폐 혈관 및 해당 출력 이미지, (C) 다른 유형의 비결절 및 해당 출력 이미지를 보여줍니다.

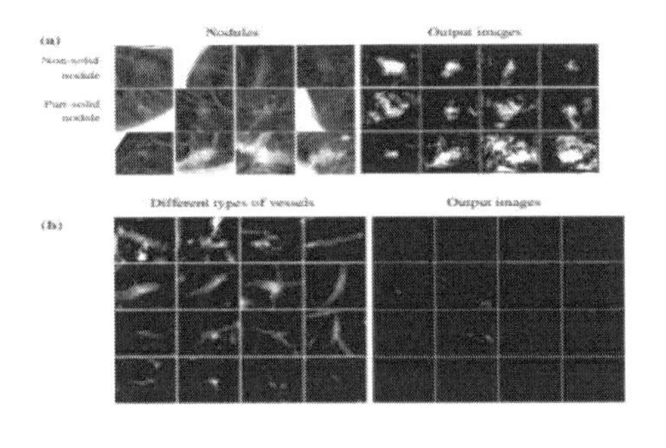

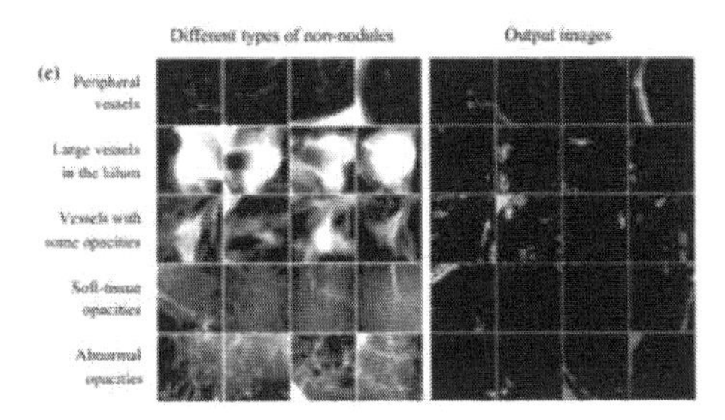

그림 3.13. (A) 다양한 유형의 결절과 훈련되지 않은 사례에 대한 훈련된 MTANN의 해당 출력 이미지, (B) 다양한 크기의 폐 혈관 및 해당 출력 이미지, (C) 다른 유형의 비결절 및 해당 출력 이미지의 삽화

우리는 규칙 기반 방식과 영상 특성 합성 및 선택적 강화 필터를 결합하여 종양을 조기에 식별하는 기술을 개발하는 데 성공했습니다. 원본 CT 데이터를 등방성 치수로 전환하여 변화하는 MDCT의

단면 폭과 호환되도록 하였습니다. 선택적 강화 필터를 적용함으로써 등방성 볼륨의 구조를 개선하여 동맥의 가시성을 감소시키고, 덩어리를 더 도드라지게 하였습니다. 임계값 설정 과정이 완료된 후, 필터링된 데이터는 일련의 규칙에 따라 분류되었습니다. 이로 인해 잠재적 후보들을 결절과 비결절로 구분할 수 있었습니다.

개발한 첫 번째 방식을 사용하여 종양의 97%(60/62)를 식별할 수 있었으며, 각 환자마다 평균적으로 15개(총 476개/32명)의 거짓 양성(FP)을 생성하였습니다. 원래 계획에서 찾아내지 못한 8가지 유형의 비결절을 제거하기 위해 8가지 특수 3D MTANN을 혼합하여 사용하였습니다. 복셀은 교육용 볼륨뿐만 아니라 참조 시에 사용되는 하위 볼륨에도 가장 이상적인 측정 단위로 확인되었습니다. 80개의 독특한 유형을 학습하는 동안 각 3D MTANN에 대해 총 50만 번의 반복 학습이 수행되었습니다. 각 유형마다 10개의 대표적인 결절과 10개의 비결절 샘플이 사용되었습니다. 학습된 각 3D MTANN이 생성한 출력량에 등급화 기법을 적용하여 결절을 다른 유형의 구조와 구별했습니다.

최종 점수는 3차원 가우시안 가중치 함수를 적용하여 계산되었습니다. 3점 이상을 받는 경우 종양이 있는 것으로 판단되며, 2점 이하를 받는 경우에는 암이 없는 것으로 간주됩니다. 8가지 유형의 비결절을 제거하는 과정은 인공 신경망(ANN)과 함께 정보가 풍부한 8가지 3D MTANN을 사용하여 수행되었습니다. 숙련된 3D MTANN의 혼합 학습을 통해 FP를 효과적으로 줄일 수 있었습니다. 3D MTANN의 결과 영역은 반짝이는 분포로 결절을 나타내고, 거의 검은색에 가까운 분포로 비결절을 표현합니다. 또한, 3D MTANN이 학습된 특정 비결절 변형의 표현은 억제되는 반면, 결절 표현은 강조되었습니다.

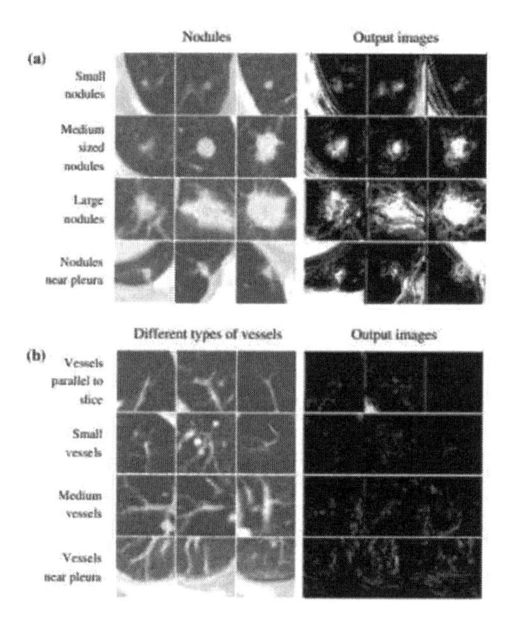

그림 3.14 (A) 다양한 유형의 결절과 훈련되지 않은 얇은 슬라이스 CT에 대한 훈련된 MTANN의 해당 출력 이미지 그림, (B) 다양한 유형의 폐 혈관 및 해당 출력 이미지

점수 매기기 기법은 결절과 비결절 점수의 중복 분포가 생성되는 상황이지만, 개별 3D MTANN(Multi-Task Automated Neural Network)은 결절과 비결절을 각각 명확하게 구별할 수 있었습니

다. 따라서 여러 전문가 3D MTANN을 결합함으로써 상당량의 잘못된 양성(false positives, FP)을 제거할 수 있었습니다. FROC(Free-response Receiver Operating Characteristic) 분석을 사용하여 결합된 전문가 3D MTANN의 효과를 평가했습니다. 그림 5.9에서 볼 수 있듯이, 결합된 전문가 3D MTANN은 실제 양성(true positives, TP)을 손상시키지 않으면서 57%(273/476)의 FP를 성공적으로 제거할 수 있었습니다. 이 CAD 방식의 전체 특이도는 97%(60/62 병변)를 유지했으며, 환자 당 발견된 FP 수는 평균 6.3개(203/32)로 감소하였습니다.

3.8 대장내시경에서 폴립 검출을 위한 CAD 방식

미국에서 대장암은 폐암 다음으로 사망률이 높은 두 번째 암입니다. 대장 용종, 즉 암의 전조 증상으로 여겨지는 이 구조물을 조기에 진단하면 대장암의 발병률을 낮출 수 있다는 증거가 있습니다. 이를 위해 CT 대장 조영술(CT Colonography, CTC)이라고 알려진 가상 대장 내시경 검사를 사용합니다. 이 방식은 대장을 효과적으로 스캔하고 신생물을 탐지할 수 있도록 설계된 CT 스캐너를 이용합니다. CTC는 진단의 정확성을 보장하기 위해서 사용되지만, 용종 식별 과정에서 발생하는 위양성(false positive, FP) 결과들로 인해 그 진단 효율성에 의문을 제기해왔습니다.

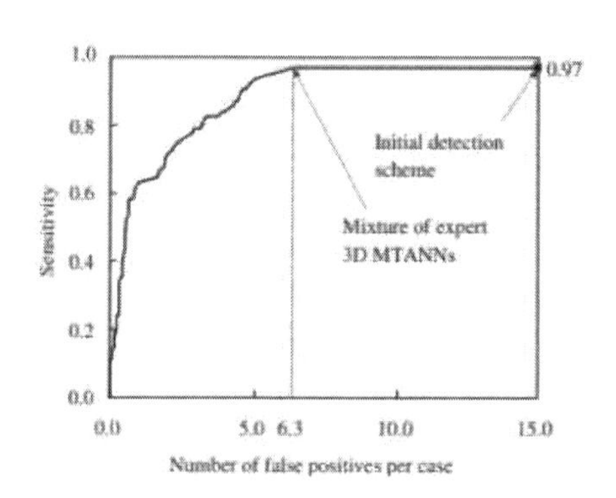

그림 3.15. 얇은 슬라이스 CT 이미지에서 60개 결절과 476개 비결절을 구분하기 위한 전문가 3D MTANN의 성능.

CTC의 한계를 극복하기 위해 연구자들은 용종의 컴퓨터 보조 검출(CAD)에 주목하고 있습니다. 이 기술은 영상 의학 전문의가 CTC에서 용종을 정확하게 식별할 수 있도록 지원하며, 특히 용종 진단과 관련하여 진단 성능을 향상시킬 수 있는 잠재력을 가지고 있습니다. CAD 방식의 주요 도전과제 중 하나는 높은 수준의 민감도를 유지하면서 동시에 FP 수를 줄이는 것입니다. FP의 주요 원인으로는 장간막 판막, 흉부 주름, 잔변, 직장 튜브 등이 있으며, 소장 및 위와 같은 결장 외 기관 역시 중요한 원인입니다. 이 연구는 높은 민감도를 유지하는 동시에 용종 검출 CAD 시스템에서의 오탐지를 줄이기 위해 전문 3D MTANN의 조합을 개발하는 목적으로 수행되었습니다.

3.9 CTC 데이터베이스

시카고 대학 의료 센터에서는 73명의 환자가 연구에 참여하기 위해 CT 대장 조영술(CTC) 검사를 받았습니다. 대장내시경 검사를 준비하기 위해 환자들은 물 다이어트 혹은 섬유질이 적은 식단을 섭취하고, 일반 실내 공기나 이산화탄소를 주입한 후 대장을 청소하는 관례적 방법으로 세척했습니다. 모든 참가자는 누운 자세와 엎드린 자세에서 검사를 받았습니다. 현재 데이터베이스에는 146개의 CTC 데이터 세트가 포함되어 있으며, 이는 위스콘신주 밀워키의 GE 메디컬 시스템즈에서 HiSpeed CTi(단일 디텍터 행) 또는 LightSpeed QX/i(다중 디텍터 행) CT 스캐너를 사용하여 수행된 CT 스캔으로 구성되어 있습니다.

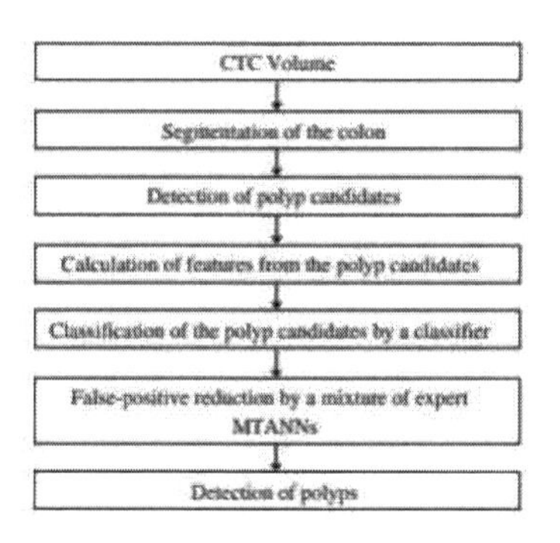

그림 3.16 CTC에서 폴립 검출을 위해 전문가용 혼합물을 활용하는 CAD 계획의 순서도

이 두 CT 스캐너는 모두 다중 감지기 행 영상을 촬영할 수 있습니다. 콜리메이션은 2.5mm에서 5.0mm 범위였으며, 재구성 간격은 1.0mm에서 5.0mm 범위로 설정되었습니다. 재구성된 각 CT 세그먼트의 픽셀 크기는 평면 방향에서 0.5밀리미터에서 0.7밀리미터 사이였으며, 보간은 CT 슬라이스에서 등방성 해상도로 수행되었습니다. 모든 환자는 참조 표준으로 간주되는 광학 대장 내시경 검사를 받았습니다.

영상의학과 전문의는 GE Advantage Windows 워크스테이션 v.4.2(GE Medical Systems, 밀워키, WI)를 사용하여 다면으로

재포맷된 대장내시경 이미지와 함께 대장내시경 및 병리 보고서를 참조해 용종의 정확한 위치를 파악했습니다. 이 조사에서는 용종의 크기가 5mm 이상인 경우 임상적으로 관련이 있다고 간주했습니다. 발견된 28개의 용종 중 15개는 직경이 5~9mm, 13개는 10~25mm였습니다. 용종이 없는 27개의 "일반" CTC 인스턴스에서 얻은 정보를 통해 훈련 데이터베이스를 구축하여 비용종 데이터를 수집했습니다.

3.10 초기 CAD 시스템의 성능

CTC 샘플에서 용종을 찾기 위해 사용된 CAD 방식을 개략적으로 설명한 그림입니다. 이전에 보고된 CAD 방법을 사용하여 73개의 CTC 인스턴스를 분석했습니다. 이 방법은 기하학적 및 질감 변수를 기반으로 한 베이지언 인공 신경망(ANN)과 결장 모양 기반의 용종 식별을 위한 중심선 기반 추출을 통합했습니다. 용종 탐지의 첫 단계에서는 헤시안 행렬을 사용하여 모양 지수를 계산합니다. 이 지수는 그림 3.17에 설명된 대로 다섯 가지 위상 형태(캡, 틀, 안장, 능선, 모자)에 따라 분류됩니다.

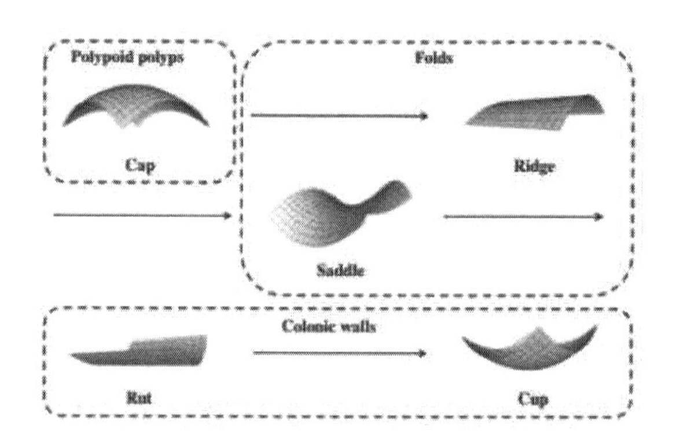

그림 3.17 다섯 가지 모양을 특성화하기 위한 모양 지수

환자가 누운 자세와 엎드린 자세에서 얻은 CTC 용적에서 모두 27개의 폴립이 발견됐습니다. 이전에 발표된 CAD 방법과 정보가 풍부한 3D MTANN을 결합하여 FP를 추가로 감소시켰습니다. 이 CAD 전략은 환자당 평균 3.1개(224/73)의 FP를 사용하여 96.4%(27/28개의 용종)의 민감도로 용종을 성공적으로 검출했습니다.

3.11 전문가 3D MTANN 훈련

우리 연구팀은 27개의 용종이 포함된 CTC 데이터베이스에서 48개의 양성 용종을 전문가 3D MTANN(Multi-Task Automated Neural Network)의 훈련 사례로 선택했습니다. 이 중에서 대표적인 10개의 용종을 연구용으로 선택했습니다. 직장 튜브, 작은 구근 모양의 주름, 단단한 대변, 기포가 있는 대변, 대장 벽의 주름, 길쭉한 주름, 띠 모양의 주름, 장골 판막 등 CAD에서 생성되는 거짓 양성(false positives, FP)의 원인이 되는 요소를 8가지 범주로 나누었습니다. 훈련용 비폴립 데이터베이스(실험에서는 사용되지 않음)에서는 각 범주에서 10개의 비폴립을 수동으로 선정했습니다.

선택된 훈련 샘플의 양은 총 20개(용종 10개와 비용종 10개)로, 이전 연구에 따르면 이 샘플 크기가 3D MTANN의 최적의 결과를 제공한다는 것을 확인했습니다. 연구에서는 2D와 3D MTANN 성능이 샘플의 면적이나 부피에 관계없이 비병변 유형 간에 큰 차이가 없음을 발견했습니다. 또한, 폴립 샘플의 전체 용적에 대한 훈련 결과를 개선하기 위해 성능이 우수한 3D MTANN을 혼합하는 프레임워크가 구축되었습니다. 이를 위해 8가지 범주에서 총 150개의 폴립과 150개의 비폴립을 사용하여 전문가 수준의 3D MTANN을 구축했습니다. 해당 모델은 세 개의 레이어로 이루어진 아키텍처를 기반으로 개발되었습니다.

그림 3.18은 병변(용종 및 편평 병변)과 다양한 유형의 비병변을 구별하기 위한 전문가 3D MTANN의 혼합을 보여줍니다. 각각의 전문가 3D MTANN은 선형 출력 인공 신경망(ANN) 회귀 모델로 구성됩니다.

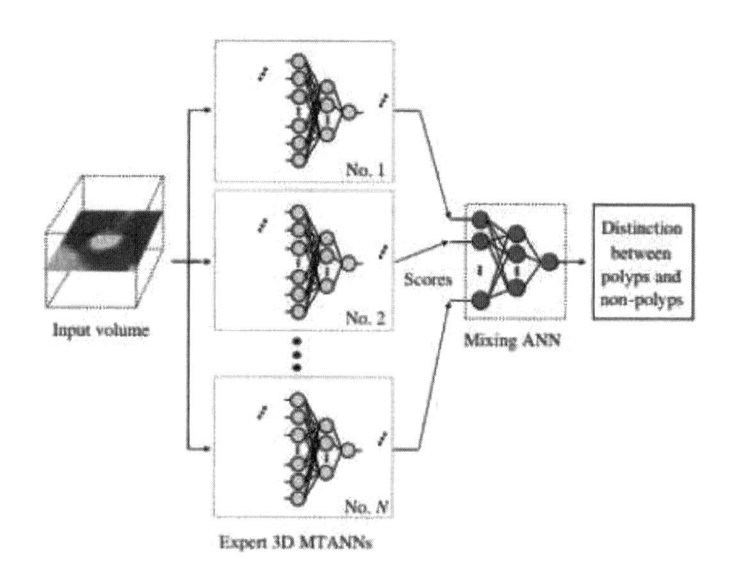

그림 3.18 병변(용종 및 편평 병변)과 다양한 유형의 비병변을 구별하기 위한 전문가 3D MTANN의 혼합물. 각 전문가 3D MTANN은 선형 출력 ANN 회귀 모델로 구성됨.

훈련 볼륨의 크기와 3D 가우스 분포의 표준 편차는 선행 연구를 토대로 실험적으로 결정되었습니다. 훈련 볼륨의 지름은 15x15x15

복셀(입방체 모양)이었고, 3차원 가우스 분포의 표준편차는 4.5 복셀로 설정되었습니다. ANN에서 최적의 숨은 유닛 수는 25개로, 이 설정을 통해 전문가 3D MTANN의 효과적인 훈련을 위해 총 50만 번의 반복 학습이 수행되었습니다.

실험 결과를 바탕으로 직장 튜브, 기포가 있는 대변, 주름진 대장 벽, 단단한 대변 등 4가지를 선택하여 전문가 3D MTANN을 학습시키는데 사용했습니다. 이들은 모두 MTANN 모델에서 효과적으로 처리할 수 있는 대상입니다. 이 접근 방식은 진짜 용종(true positives, TP)과 거짓 양성(FP)을 모두 포함하여 CAD에서 생성된 오프센터 용종 후보에 대해 고려합니다. 출력에서 고정 용종은 밝은 복셀 분포로 표시되고 비고정 용종은 어두운 복셀로 나타납니다. 이는 3D 스코어링 접근법을 사용하여 평가된 폴립과 비폴립의 출력 볼륨을 통해, 전문가 3D MTANN이 상당한 양의 오탐을 성공적으로 제거할 수 있음을 보여줍니다.

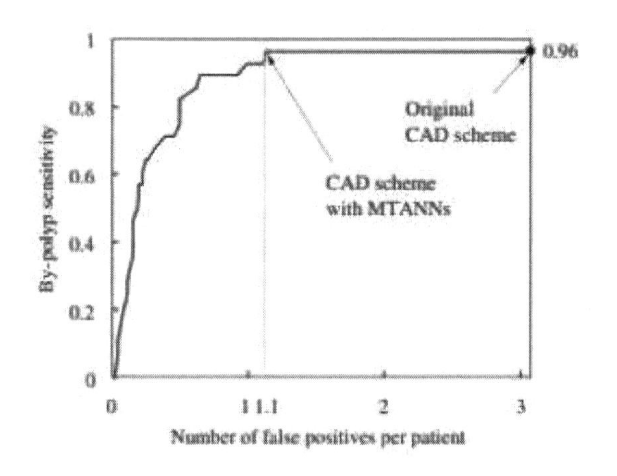

그림 3.19 27개의 폴립(48Tps 볼륨)과 224Fps의 전체 데이터베이스에 적용했을 때 전문가 3D Mtanns 혼합물의 전반적인 성능을 보여주는 FROC 곡선. FROC 곡선은 전문가 3D Mtanns의 혼합이 진양성을 제거하지 않고 비폴립의 63%(142/224)를 감소시켰음을 나타냄(즉, 100% 분류 성능을 달성).

연구자들은 FROC(Free-response Receiver Operating Characteristic) 분석을 통해 전문가 3D MTANN(Multi-Task Automated Neural Network)의 조합이 전반적인 거짓 양성(False Positives, FP) 감소 측면에서 얼마나 뛰어난 성능을 발휘하는지 확인했습니다. 이러한 학습된 전문가 3D MTANN 조합의 FROC 곡선은 다음과 같습니다: 혼합 ANN(Artificial Neural Network)의 출력에 대한 임계값 조정이 FROC 곡선의 생성을 최

종적으로 도왔습니다. 이 FROC 곡선에 따르면, 전문가 3D MTANN 혼합은 27개의 용종 중 하나도 제거하지 않고 63%(142/224)의 FP를 제거했으며, 이는 환자당 평균 1.1(82/73)의 FP 비율로 전체 바이폴립에 대한 민감도가 96.4%(27/28)임을 보여줍니다.

이는 환자당 1.1의 FP 비율을 유지하면서 달성한 결과로, CD(Computer-Aided Detection) 연구의 진행상의 한계 중 하나는 어려운 용종의 평가 부재입니다. 이는 CAD를 사용하지 않고도 방사선과 전문의가 쉽게 식별할 수 있는 용종(TP; True Positive 폴립)에만 초점을 맞추어 연구가 이루어진 경우가 많기 때문입니다. '난해한' 용종이란 일반적인 절차로는 식별이 어려운 용종을 의미하며, 이러한 용종에 대한 평가 없이는 CAD의 장점을 정확하게 평가하기 어렵습니다. 이는 영상의학 전문의만이 아닌 CAD 시스템의 성능 및 적용 가능성에 대한 근본적인 이해와 향상에 중요한 부분입니다.

3.12 위음성 용종 데이터베이스

위음성(False Negative, FN) 용종에 대한 컴퓨터 보조 진단(CAD) 시스템의 성능을 평가하기 위해, 공기 조영 바륨 관장과 동시에 이루어진 CTC(CT 대장 조영술) 및 대장내시경 검사를 포함한 이전 다기관 임상시험에서 얻은 CTC 스캔 데이터베이스를 구축했습니다. 이 데이터베이스의 목적은 CAD 시스템이 FN 용종을 어떻게 처리하는지 평가하는 것입니다. 첫 번째 실험에 참여한 고위험군 614명을 대상으로 다중 검출기 행 CT(MDCT) 시스템을 사용하여 스캔을 진행했습니다. 피험자들은 누운 자세와 엎드린 자세 모두에서 스캔을 받았습니다. 참조 표준은 세 가지 검사 모두에서 발견된 병변을 최종적으로 조정하는 것을 기준으로 했습니다.

연구의 첫 단계에서는 6밀리미터 이상의 임상적으로 중요한 용종이 총 234개 발견된 155명의 환자를 조사했습니다. 이 중 69명의 환자가 FN으로 판단되었으며, 이는 환자별 민감도가 55%임을 의미합니다. 이 환자들에서 첫 번째 임상 판독 시 영상의학과 전문의가 놓친 용종이나 종괴가 총 114개 확인되었습니다. 관찰자의 지각 및 측정 오류가 전체 오류의 51%를 차지했으며, 나머지 오류는 기술적 오류(23%)와 조정 불가능한 사례(26%)로 나타났습니다.

지각 오류는 조직 내에 존재함에도 발견하지 못한 용종과 관련되어 있었습니다. "측정 오류"는 참조 표준으로 사용된 대장내시경 검사 결과와 비교했을 때, 용종의 크기를 잘못 평가하여 발생한 오류를 지칭합니다. 본 연구의 주된 목적은 관찰자 오류를 최소화함으로써 CAD의 효과를 입증하는 것이기 때문에, 지각 오류가 포함된 FN 사례에 주목했습니다. 각 사례는 하나 이상의 누락된 용종을 포함하는 것을 조건으로 했습니다. 이를 통해 23개의 용종과 1개의 종괴를 포함한 총 24개의 FN 사례를 확보할 수 있었습니다.

경험이 풍부한 영상의학과 전문의가 대장내시경 검사 결과를 참조하여 용종의 위치를 면밀하게 평가했습니다. 용종의 직경은 6mm에서 15mm 사이였으며, 평균 직경은 8.3mm였습니다. 종괴의 크기는 35mm였으며, 14개의 병변이 선종으로 판정되었습니다. 방사선 전문의는 각 용종을 식별하기 어려운 정도, 발견하기 쉬운 정도로 분류하고 용종의 모양을 확인했습니다.

3.13 위음성 사례에 대한 CAD 성능

저희가 개발한 컴퓨터 보조 진단(CAD) 시스템의 용종 검출에 대한 예비 결과는 다음과 같습니다. 해당 시스템의 민감도는 63%로 나타났으며, 각 환자에서 평균적으로 21.0개의 거짓 양성(False Positive, FP)이 발견되었습니다. 분석된 24개의 FN(위음성) 병변 사례에서, 저희 CAD 방식은 58% (14/24)의 민감도와 환자당 평균 8.6 (207/24)의 FP 비율을 보였습니다. 이는 전통적인 선형 판별 분석(Linear Discriminant Analysis, LDA)를 사용하는 일반 CAD 방식의 25% 민감도와 병렬로 비교되어, 두 접근 방식 사이에 통계적으로 유의미한 차이가 있음을 나타냅니다.

이 결과는 MTANN CAD 방식이 상당한 수준의 FP를 제거할 수 있음을 보여줍니다. 특히, 24개의 관상동맥 병변이 없는 환자들에서 MTANN CAD 방식은 58.2%의 민감도를 유지하면서 평균 8.6개의 FP를 발생시켰습니다. 24개의 용종 중 17개는 용종, 6개는 폴립, 1개는 종양으로, 각 용종과 폴립은 그 난이도에 따라 평가되었습니다. 고착 상태의 용종 12개, 주름에 붙은 용종 9개, 꽃자루가 있는 용종 2개 등으로 분류되었습니다.

어려운 용종을 식별하는데 CAD 기법의 도움이 되기를 바라며, 이는 대장암(용종성 신생물)의 위험을 줄이는데 중요합니다. 반면에, 최근 연구에 따르면 편평한 대장 신생물 역시 대장암의 원인이 될 수 있음이 입증되었습니다. 이러한 편평 병변은 점막 아래 또는 원위치에서 암을 발달시킬 위험이 용종성 병변보다 훨씬 높습니다. 유럽과 미국을 포함한 다양한 지역에서도 편평 병변의 중요성이 확인되었으며, 이는 종종 대장내시경 검사에서 간과될 수 있습니다.

대장내시경에서 용종을 식별하는 민감도가 높아도, 편평한 병변은 그 비정상적인 형태로 인해 FN 해석의 가능성을 가지고 있습니다. 따라서 편평 병변의 식별은 대장암 선별 과정에서 매우 중요한 부분입니다. 이는 정상 점막과 유사하게 보일 수 있는 편평 병변을 정확히 구별하기 위한 더 세밀한 접근이 필요함을 시사합니다.

3.14 편평 병변 검출을 위한 현재 CAD 시스템의 한계

현존하는 컴퓨터 보조 진단(CAD) 시스템은 주로 일반 용종과 고착성 용종의 검출에 중점을 두고 개발되었습니다. 이러한 시스템들은 용종의 기하학적, 형태학적 및 조직학적 특성을 분석하여 용종을 대변, 흉부 주름, 공기/액체 경계, 회장 판막, 직장 카테터와 같은 정상적인 대장 구조와 구분함으로써 용종의 위치를 효과적으로 찾을 수 있습니다. 용종의 형태를 결정하기 위해 사용되는 수학적 기술자 중 하나는 '모양 인덱스(shape index)'로, 이는 용종의 모자 모양 구조와 같은 형태적 특징을 설명합니다.

그러나 현재의 CAD 접근법은 편평 병변을 효과적으로 식별하는 데는 제한적입니다. CTC 스캔을 분석할 때 경험이 풍부한 방사선 전문의는 Vitrea 2 소프트웨어(버전 3.9, Vital Images, 미네소타주 미네톤카)를 사용하여 편평 병변을 면밀히 검토했습니다. 이 과정에서 방사선 전문의는 2차원 사진 검사에 "연조직", "평면", 및 " 폐" 창 및 레벨 설정을 적용하여 편평 병변에 대한 데이터베이스를 구축할 수 있었습니다.

병변의 축, 관상면,시상면 이미지를 확대 검토하며, 병변의 가장 긴 축과 가장 높은 지점을 결정했습니다. 이들은 모든 데이터 세트에서 확인할 수 있었습니다. 다양한 관점에서 병변을 조사하여 병변의 경계를 찾기 위해 3D 내강 영상을 확보했습니다. 각 데이터 세트마다 최적의 높은 점과 가능한 가장 긴 축을 계산했습니다. 이는 2D와 3D 영상을 비교 분석하여 같은 세션에서 병변의 형태와 경계를 분석할 수 있게 했습니다.

이 접근법을 통해 병변 측정 시 표준 접근 방식을 따를 수 있었습니다. 3D 볼륨에서 생성된 영상을 통해 정확한 최대 두께를 읽을 수 있었고, 이는 비교적 가파른 경사에서 수행된 3D 내강 뷰와 2D 뷰를 세 가지 창/레벨 설정에서 대조해보며, 평평한 병변의 지표를 판단하기 위한 기준을 설정했습니다. 병변의 높이가 3mm 미만이거나 장축에 비해 높이의 비율이 1/2 미만인 경우, 병변을 평평한 것으로 분류했습니다.

CTC 사례 50건을 검토한 결과, 방사선 전문의는 평균적으로 약 30%의 사례에서 편평 병변을 발견했으며, 25명의 환자에서 총 28개의 편평 병변을 확인했습니다. 이 중 첫 번째 임상 판독에서 11개의 병변이 놓쳐졌습니다. 이는 편평 병변이 대장암 선별의 중요한 부분임을 강조하며, 현존하는 CAD 시스템이 이를 더욱 효과적으로 식별할 수 있도록 개선될 필요가 있습니다.

편평 병변의 검출에 관해서는 현재 사용 가능한 컴퓨터 보조 진단(CAD) 시스템이 몇 가지 제약을 가지고 있습니다. 이 시스템들은 주로 일반적인 용종이나 고착성 용종을 탐지하는 데 최적화되어 있기 때문에, 편평한 병변을 발견하는 것은 "매우 어렵다고" 여겨집니다. 광학 대장 조영술 결과, 병변의 직경은 6mm에서 18mm 사이였으며, 평균적으로는 9mm였습니다. 이를 바탕으로, 25명의 환자에서 관찰된 28개의 서로 다른 편평 병변을 포함하는 데이터베이스에 3D MTANN(Multi-Task Automated Neural Network)을 적용하여 이 병변들을 식별할 수 있는지 평가했습니다.

이 데이터베이스를 사용하여, 일반적인 구상 용종보다 평평한 모양을 가진 고착성 용종에 대해서도 3D MTANN을 훈련시켰습니다. 고착성 용종은 피지선에서 발생하는 양성 종양으로, 용종은 물론

회장 판막, 흉부 주름, 대변과 같은 다른 일반적인 거짓 양성(False Positive, FP) 원인에 대해서도 훈련이 진행되었습니다.

훈련된 3D MTANN은 편평한 병변 데이터베이스에 포함된 28개의 병변을 대상으로 테스트되었습니다. 초기 시도에서는 LDA(Linear Discriminant Analysis) 사용을 배제하고, 결과적으로 각 환자당 평균 25개의 FP에서 71%의 민감도만을 얻을 수 있었습니다. 예비 임상 평가에서는 11개의 병변이 발견되지 않았습니다. LDA를 사용하여 단일 참 양성(True Positive) 대비 105개의 FP를 제거했을 때, 용종 민감도는 68%로 나타났고, 환자당 평균 16.3개의 FP가 제거되었습니다. 숙련된 3D MTANN을 이용해 FP 수를 더욱 줄일 수 있었으며, 이 방식은 FP의 39%를 제거하는 데 효과적이었으나 TP에 대해서는 성공적이지 못했습니다.

결과적으로, CAD 방법은 환자당 10개의 FP를 사용하여 68%의 용종 민감도를 달성하는 데 성공했으며, 이 접근법은 최초의 임상 실험에서 방사선 전문의가 놓친 11개의 편평한 병변 중 6개를 식별하는 데 성공했습니다. 첫 번째 연구에서 이 MTANN CAD 접근 방식은 6~9mm 크기의 편평 병변의 67%, 그리고 10mm 이상의 병변의 70%를 적절히 감지했습니다. 이 결과는 방사선 전문의에 의해 확인되었으며, 검사 과정에서 총 6개의 병변을 놓쳤습니다. 일부 편평 병변이 조직학적으로 공격적일 수 있으며, 이들의 독특한 모양은 식별을 어렵게 만듭니다.

따라서 이러한 병변의 발견은 임상적으로 매우 중요하며, 병변이 있는지 여부를 판단하는 것은 어려운 일입니다. 우리의 CAD 방법은 가장 까다로운 편평한 병변을 비교적 쉽게 식별하는 데 성공했습니다. 의료 영상에서 병변을 찾는 데, 특히 MTANN을 사용하는 PML(Pattern Matching Layers)은 CAD 시스템에서 주요 병변 식별 단계의 민감도와 특이도를 크게 향상시킬 수 있습니다.

4장. 베이지안 네트워크 기반 인과 추론을 통한 자세 단계에서의 족부 기능 이해

사람의 자연스러운 걸음걸이가 평균적인 걸음걸이와 현저하게 다르다면, 그 이유는 발에 이상이 있을 수 있습니다. 신경계와 근골격계의 문제가 이러한 이상을 유발할 가능성이 높습니다. 현재 대부분의 족부 질환은 주관적인 평가에 의존하고 있으며, 이는 과학적으로 예측 가능한 수준에서 진단이 이루어지기 어렵다는 이슈를 안고 있습니다. 따라서 발 문제를 가진 사람들이 적합한 치료와 재활을 받으며 그 효과를 보장받기는 쉽지 않습니다. 발의 역학에 대한 깊은 이해가 있어야만 공정한 평가가 가능하며, 이는 운동 조절 뿐만 아니라 치료 및 재활 분야에서의 연구를 필수적으로 만듭니다.

이를 위해 발의 기능에 대한 고도의 인식이 필요하며, 이러한 접근은 편견 없는 평가를 가능하게 합니다. 이와 같은 특정 주제의 중요성은 아무리 강조해도 지나치지 않으며, 발 기능 장애의 유형과 원인을 밝히고, 이를 통해 치료 및 재활에 도움을 줄 수 있는 혁신적인 도구를 개발하는 것이 연구의 주요 목표입니다. 이 연구를 수행하기 위해 영국의 한 학교에서 프로젝트가 진행될 예정입니다.

발이 어떻게 효율적으로 기능하는지는 걷는 환경뿐만 아니라 근육, 신경, 골격계 사이의 상호작용에 크게 의존합니다.

하체 근육의 활동 수준을 측정하고 기록함으로써, 관련된 주요 움직임을 식별하고 정량화할 수 있었습니다. 발가락과 발목 관절의 움직임 궤적 또한 측정되어 동작의 효과를 포착하였습니다. 또한, 발바닥의 압력 분포를 측정하여 그 결과를 문서화하였고, 이는 인간과 환경 간의 상호작용을 나타내는 증거로 활용되었습니다. 그 후, 베이지안 네트워크(BN)를 사용하여 발 기능에 대한 인과적 구조를 결정하였습니다. 이러한 분석은 발의 기계적 작동을 더 깊이 이해하기 위해 수행되었습니다. BN의 능력을 검증하기 위해, 정상 보행과 시뮬레이션된 편마비 보행이 포함된 실험을 통해 측정 및 분석이 진행되었습니다.

이러한 비교는 두 가지 유형의 보행 패턴을 명확하게 이해하고, 각각의 인과 관계를 반영 및 식별하기 위해 수행되었습니다. 많은 연구에서 BN의 가능성을 검토하였고, 그 결과 이러한 네트워크가 생물학적 신호를 평가하고 의료 응용에 활용될 수 있다는 결론에 이르렀습니다. BN은 특정 불확실성에 대한 정확한 설명과 다양한 확률적 변수 간의 관계를 반영하기 위해 개발되었습니다. 이 연구 결과는 의료 데이터베이스에서 증상과 질병 간의 인과 관계를 추출하고, 다양한 질병의 진단을 지원하는 데 사용될 수 있습니다. 또한, 의사결정 지원 시스템에서 불확실성을 관리하는 데 BN이 크게 기여할 수 있습니다. 이 연구에서 얻은 결과는 여러 분야에서의 응용 가능성을 열어줄 것입니다.

4.1 실험 데이터 수집

실험 과정에서는 정상적인 보행 패턴뿐만 아니라 편마비 증상을 시뮬레이션하는 보행 패턴의 데이터도 함께 수집했습니다. 발바닥의 압력과 힘을 측정하는 시스템, 근육 활동을 기록하는 근전도(EMG), 그리고 보행 중 발의 움직임을 기록하는 모션 캡처 장비를 사용하여 데이터를 수집했습니다. 이와 함께 추가적으로 근전도(EMG)를 통해 근육 활동도 포착했습니다.

4.2 모션 캡처 시스템을 이용한 발 궤적 기록

발의 엄지, 둘째 발가락, 발뒤꿈치, 설형골 및 발목 관절에 반사광 마커를 부착하고, 세 개의 카메라로 구성된 모션 캡처 시스템(CaptureEx, Library-Inc)을 사용하여 이러한 마커의 움직임 궤적을 기록했습니다. 각각의 발가락과 발 부위에 부착된 마커를 60fps의 속도로 촬영하여 초당 60프레임의 이미지를 캡처하는 첨단 기술을 활용했습니다. 반사 마커의 궤적은 LibraryIncMove-tr/3D를 통해 획득되었고, 이 궤적을 바탕으로 발가락 각도를 도출하는 프로토타입이 제작되었습니다. 이러한 과정들은 소프트웨어 프로그램의 도움 없이는 불가능했을 것입니다. CaptureEx(Library, Inc.)에서 제공하는 트리거링 기능 덕분에, 모션 캡처 시스템을 EMG 측정과 동기화할 수 있었습니다.

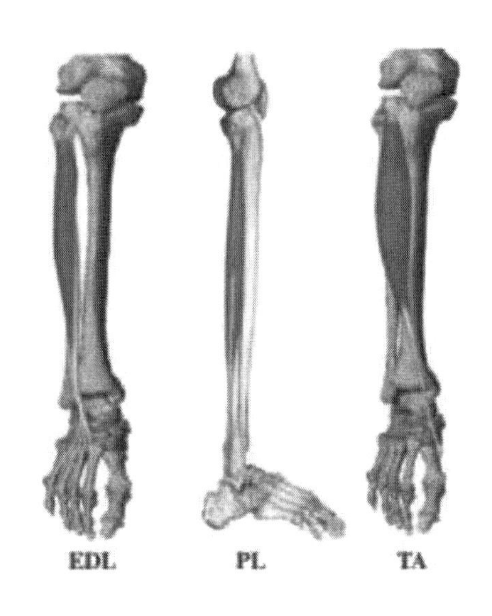

그림 4.1 보행 측정에 사용된 근육:
EDL 장요근 신전근, PL 비복근, TA 경골
전방 근육

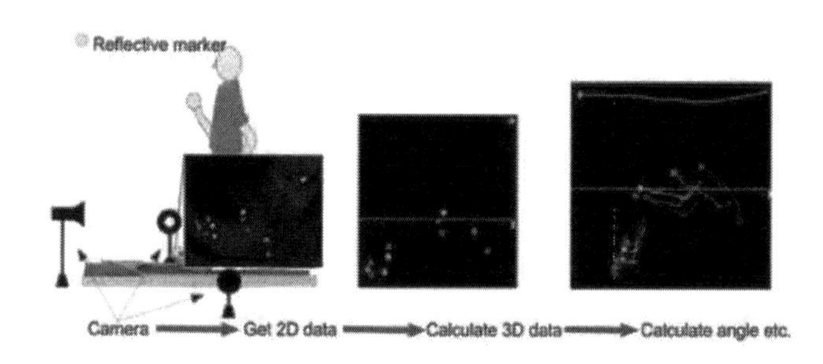

그림 4.2 발 궤적에서 발가락 각도 계산 절차

저희는 Tekscan 기술 플랫폼을 사용하는 발바닥 압력 및 힘 측정 장치를 이용해 F-스캔을 수행했습니다. 이 시스템은 발에 가해지는 압력과 힘에 대한 실시간 데이터를 제공하며, 발과 발이 서 있는 표면 사이의 상호 작용을 보여줍니다. 기존의 시각적 모니터링 방식은 발의 힘, 접촉 압력 분포 또는 지속 시간을 평가하지 않지만, F-스캔 시스템을 사용하면 이러한 변수들을 측정할 수 있습니다. 다음은 이 시스템을 구성하는 센서, 스캔용 전기 장치 및 소프트웨어의 목록입니다. 그림 6.4는 발바닥 압력 실험을 수행하기 위해 필요한 절차의 개요를 보여줍니다. 이 시스템은 그 독특함과 다양한 응용 가능성으로 광범위하게 사용됩니다.

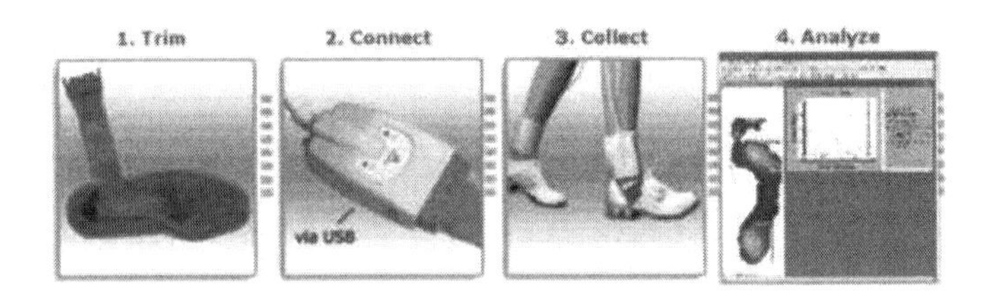

그림 4.3 발바닥 압력 및 힘 측정 실험의 단계 순서

신발 검사(신발 디자인 포함), 보행 분석, 당뇨병 진단 등이 모두 그 예입니다. 이를 통해 정교한 분석 및 생체역학적 요인뿐만 아니라 치료법의 효능을 검증할 수 있습니다.

4.3 보행 중 자세 단계에서의 실험 데이터 전처리

실험에서 수집된 데이터는 분석에 앞서 여러 전처리 단계를 거쳤습니다. 우선, 원시 근전도(EMG) 신호를 모션 캡처 장비의 샘플링 속도인 60Hz로 다운샘플링하고, 최대치를 기준으로 보정한 후 이동평균을 적용했습니다. 이어서 데이터를 정규화하는 작업을 진행했으며, 보행의 스탠스 단계에서 중요한 신호를 필터링하여 핵심 데이터를 추출했습니다. 이 과정에서 최상위, 중간, 최하위로 분류된 세 가지 주요 신호 그룹을 식별할 수 있었습니다.

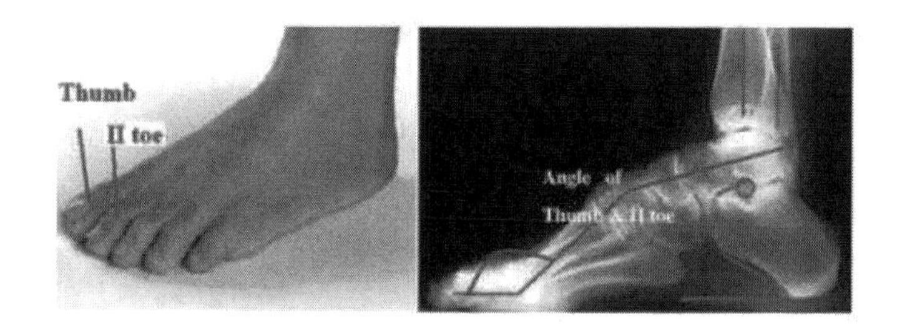

그림 4.4 발가락 각도 그림

4.4 베이지안 네트워크 개요

베이지안 네트워크(BN), 또한 신념 네트워크 또는 방향성 비순환 그래프(Directed Acyclic Graph, DAG) 모델이라고도 하며, 무작위 변수 간의 확률적 연결과 이 변수들 간의 조건부 종속성을 그래픽으로 표현합니다. 이 네트워크는 복잡한 시스템에서 변수들 사이의 인과 관계를 도출하고 해석하는 데 유용하며, 의료 진단, 예측 및 의사 결정 지원 시스템에서 불확실성을 관리하는 데 효과적으로 사용됩니다. 베이지안 네트워크는 노드(변수)와 노드를 연결하는 화살표(인과 관계)로 구성되어 확률적 인과 관계를 시각적으로 나타냅니다. 또한, 의료 분야뿐만 아니라 물리적 시뮬레이션, 컴퓨터 시스템의 결함 분석 등 다양한 분야에서 활용되고 있습니다.

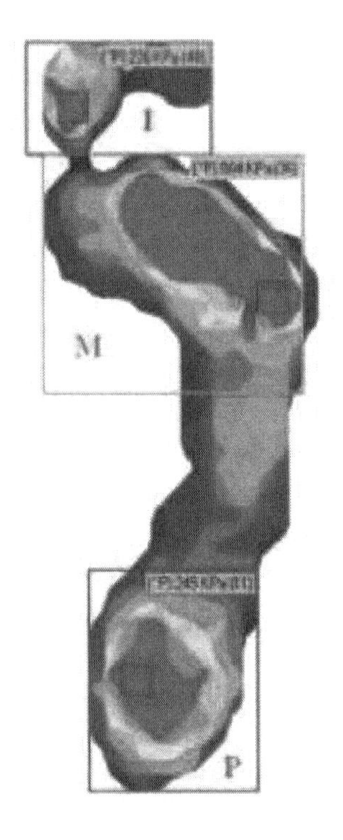

그림 4.5 발바닥 압력의
분할 단면도

이전 단락에서는 베이지안 네트워크의 기초적인 이해와 응용 범위에 대해 설명하였으며, 보행 분석을 위한 데이터 전처리 과정을 통해 얻은 중요한 인사이트를 제공하고 있습니다. 이러한 접근 방식은 보행 중 자세와 발의 기능에 관한 깊은 이해를 가능하게 하는 도구로서, 향후 보행 장애의 진단 및 치료에 중요한 역할을 할 것입니다.

4.5 베이지안 네트워크 구조 탐색 알고리즘

실험 중 근전도(EMG) 센서로 모니터링된 각 근육, 각 발가락의 각도, 그리고 발바닥 압력의 각 세그먼트는 그래프 내에서 독립적인 노드로 설정되었습니다. 각각의 5번의 테스트에서 새로운 베이지안 네트워크(BN)가 처음부터 구축되었으며, 이 네트워크들은 적어도 3개의 근육 노드, 3개의 발바닥 압력 구간, 그리고 2개의 각도 데이터 노드 간에 인과 관계가 존재한다는 것을 보여주었습니다. 각 노드에는 극단값, 중간값, 최소값의 3가지 값이 부여될 수 있습니다. 호의 계산을 단순화하고, 인간의 걸음걸이에 대한 기존의 이해를 바탕으로, 향후 연구를 더욱 원활하게 수행할 수 있도록 일부 연결을 제한했습니다.

이러한 작업은 모든 호를 가능한 한 단순화하는 것을 목표로 했습니다. 실험 데이터는 초기 접촉, 미드 스탠스에서의 로딩 반응, 그리고 스윙 전 터미널 스탠스까지의 뚜렷한 단계로 구분되어 분석되었습니다. 초기 접촉은 뒤꿈치가 지면에 처음 닿는 순간을 의미하며, 이들 단계의 분석을 통해 연구진은 보행의 다양한 스탠스 단계에서 발의 기능에 대해 더 깊이 이해할 수 있었습니다. 그림 6.7에서 볼 수 있는 바와 같이, 보행의 자세 단계는 독립적으로 발생하는 세 개의 개별 단계로 구성됩니다.

2단계에서는 하중 반응, 또는 중간 자세로 알려져 있으며, 이 단계에서는 근육 활동과 발가락 각도 사이에 구조가 형성되지 않았습니다. 이는 각 변수가 단 하나의 이산 값을 선택할 수 있기 때문입니다. 이 단계는 근육의 활동과 발가락 각도 사이에 관계가 없으며, 각 단계가 독립적이고 안정적임을 숙고하게 합니다. 보행 과정의 자세 단계에서 수행하는 근육의 움직임을 다룬 BN 구조를 실어놓았습니다(왼쪽은 정상 보행, 오른쪽은 시뮬레이션 보행).

보행 자세 단계에서 근육이 수행하는 역할 사이의 인과성을 보여주는 두 가지 그래픽 표현을 통해, 정상 보행과 시뮬레이션 보행에서의 인과 관계와 조건부 종속성을 정확히 파악할 수 있습니다.

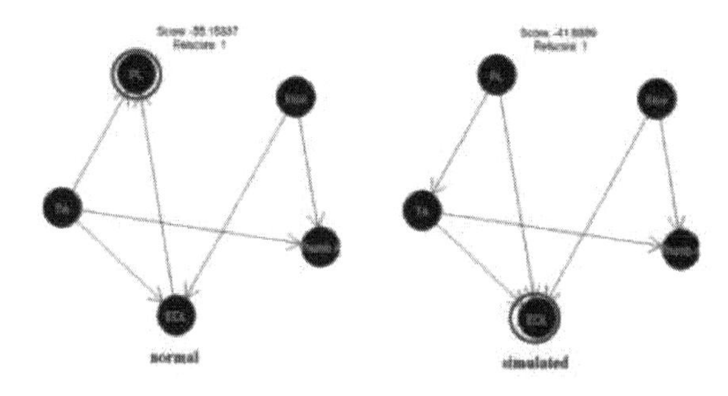

그림 4.6. 근육 활동 및 발가락 각도의 BN(베이지안 네트워크) 구조(왼쪽은 정상 보행의 3단계, 오른쪽은 모의 보행 보행의 3단계)

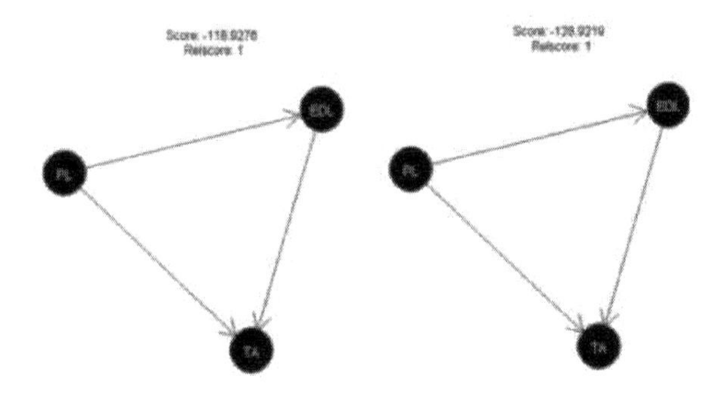

그림 4.7 보행 자세 단계에 따른 근육 활동의 BN 구조 (왼쪽은 정상 보행, 오른쪽은 시뮬레이션 보행)

실험 데이터를 세분화하여 수집한 정보를 적절히 분류하고, 4개의 독립적인 실험을 통해 얻은 정보를 분석하여, 실제 보행과 모의 보행이 유사한 목적으로 수행되었음을 결과적으로 확인할 수 있었습니다. 이는 BN 구조가 정상 보행과 시뮬레이션 보행에서 발바닥 압력 구간 및 발가락 각도 등을 포함하여 근육 활동의 그래픽 구성을 정확히 반영할 수 있음을 의미합니다.

이 장에서 보고된 연구 결과는 베이지안 네트워크(Bayesian Network, BN) 구조가 인간의 정상적인 보행과 모의 편마비 보행의 자세 단계에서 발의 기능을 더 잘 이해하는 데 도움이 될 수 있음을 시사합니다. 모니터링되는 생체 신호의 순도는 실험 환경의 주변 소음에 의해 영향을 받을 수 있습니다. 이러한 주변 소음은 실험 장비, 통신 회선 뿐만 아니라 환경 자체에서 발생할 수 있습니다.

수집된 실험 데이터에도 이러한 종류의 노이즈가 존재했으나, 다양한 필터링 및 표준화 작업을 통해 이를 효과적으로 제거할 수 있었습니다. 발의 내분비계, 신경계, 근골격계 및 환경적 요인이 상호 작용하며, 이러한 상호 작용은 보행 중 발의 기능에 직접적인 영향을 미칩니다. 연구 과정에서 우리는 피험자들의 발바닥 압력 분포,

발가락 및 발목 관절의 궤적, 주요 하지 근육 활동을 수집하고 평가했습니다. 이를 통해 보행 중 발 기능의 근본적인 원인 과정을 분석할 수 있었습니다. 이러한 분석 결과를 바탕으로, 어떤 현상의 원인에 대한 확률적 판단을 내리는 이론적 근거로 베이지안 네트워크를 사용하기로 결정했습니다.

체중이 65kg이고 발 이상 병력이 없는 건강한 참가자들의 정상 보행 패턴과 모의 편마비 보행 패턴을 측정하고 분석하여, 보행에 따른 주요 인과적 연관성을 표현하고 구별하는 BN의 능력을 검증했습니다. 이 연구에 참여한 참가자들은 발 이상 병력이 없었습니다. 이는 피험자의 정상적인 보행 패턴을 평가하기 위해 필요한 조치였습니다.

두 가지 보행 패턴은 전형적인 조상으로부터 파생된 것으로, 이 특정 연구에서 BN 노드는 근육 활동, 발바닥 압력 세그먼트, 또는 발가락 각도 궤적의 특정 위치로 정의되었습니다. 이 세 가지 변수는 골격근의 제어 및 기능에 관한 연구에서 자주 사용되는 방법들을 대표합니다. 최근 베이지안 네트워크 모델을 활용한 응용 프로그램의 수가 급증하였으며, 질병 진단과 동작 분류가 그 예입니다.

이 조사는 보행의 자세 단계까지 다양한 실험 데이터 측정을 활용하여 분석을 수행했습니다. 실험 데이터를 보행의 세 단계, 즉 첫 접촉, 중간 자세에서 로딩 자세로의 전환, 그리고 백스윙의 시작 단계로 구분하여 정규화하고 이산화했습니다. 그 결과, 정상 보행과 모의 편마비 보행 사이에는 BN의 구조적 차이가 없으며, 두 경우 모두에서 충분한 정보를 제공한다는 결론에 도달했습니다.

보행 연구는 발 질환의 진단, 치료 및 훈련 프로그램 개발을 위한 미래 연구의 필수적인 부분입니다. 향후 연구에서는 보행에 어려움을 겪는 사람들을 대상으로 더 많은 데이터를 수집하고, 다양한 보행 환경(계단 오르기, 다양한 보행 속도, 경사진 보도에서의 걷기 등)을 포함시킬 계획입니다. 이를 통해 보행 단계와 연결된 다양한 데이터 소스에서 발 기능 데이터의 인과적 관계를 더 정확하게 평가할 수 있을 것입니다.

4.6 의료 및 건강 분야의 규칙 학습

의료 산업은 복잡한 정보와 절차를 포함하며, 이를 적절히 처리하기 위해서는 고급 컴퓨터 리소스가 필수적입니다. 새로운 정보, 치료법, 그리고 모범 사례의 진화는 의료 분야가 지속적으로 변화하고 있음을 상기시킵니다. 이런 변화는 의료 분야의 핵심 요구 사항을 제기하며, 그 중 하나는 환자가 스스로 건강을 유지하며 삶의 질을 높일 수 있어야 한다는 것입니다. 안타깝게도 현재 많은 의료 시스템은 개인 맞춤형 치료보다는 '평균적인' 환자를 대상으로 설정되어 있어, 개별 환자에 필요한 맞춤 치료를 제공하기 어렵습니다.

이러한 과제에 대응하기 위해 복잡성을 관리하고 상황에 적응할 수 있는 머신러닝 알고리즘의 적용이 필요하며, 특히 규칙 학습이 중요한 역할을 합니다. 규칙 학습은 의료 서비스, 연구, 행정 및 관리 영역에 적용될 수 있으며, 기존의 계산 방법이나 다른 머신러닝 기술에 비해 선호되는 이유에 대해 이 장에서 설명할 것입니다. 더불어, 머신러닝이 의료 규칙 학습의 응용 분야와 어떻게 관련되는지에 대한 포괄적인 검토를 제공할 것입니다.

기계 학습은 의료 서비스 제공, 의학 연구, 행정, 관리 등 다양한 분야에서 혁신을 가져올 수 있는 잠재력을 가지고 있습니다. 의료 분야는 점차 기계 학습의 잠재력을 인식하고 있으며, 이미 많은 응용 프로그램이 현실화되고 있습니다. 그러나 의료 분야는 머신러닝의 복잡성을 종종 과소평가하고 있으며, 이로 인해 첨단 기술의 실현이 지연될 수 있습니다. 특히 자동화가 용이하거나 큰 혜택을 받을 수 있는 의료 영역에서 머신러닝의 활용은 큰 잠재력을 지니고 있습니다.

의료 분야에서 기계 학습을 사용하는 주요 응용 분야는 지식 검색과 의사 결정 지원 시스템입니다. 이러한 시스템은 다양한 환경에서 의사 결정을 지원하기 위해 특별히 개발된 계산 모델을 기반으로 합니다. 또한, 이러한 모델의 설계와 유지 관리에 기계 학습을 적용할 수 있는 확실한 가능성이 있으며, 의료 데이터에서의 지식 발굴은 의료 관리, 청구 및 서비스 전달 패턴 분석에도 사용될 수 있습니다.

모델은 정확한 예측을 생성하고 모델링하는 데이터를 적절히 반영할 수 있어야 하며, 예측의 정확성을 평가하는 다양한 방법이 있습니다. 정확성, 재현율, 민감도, 특이도 및 F-점수는 정확도를 평가하는 흔히 사용되는 메트릭입니다.

그리고 모델의 투명성은 중요하며, 의료 및 건강 관리 연구에서 사용되는 모델이 어떻게 그리고 왜 특정 결론에 도달했는지 설명할 수 있어야 합니다. 이러한 '해석 가능성'은 모델이 단지 정확한 예측을 제공하는 것을 넘어서, 그 결정 과정을 이해할 수 있도록 해야 합니다. 최첨단 머신러닝 방법 중 많은 것들이 여전히 해석 가능성을 부족하게 다루고 있으며, 이는 의료 분야에서의 적용에 장애물이 될 수 있습니다.

SVM, NN 또는 규칙을 기반으로 하는 간 질환 진단을 위한 다양한 모델의 개방성을 어떻게 측정할 수 있을까요? 그리고 이 측정의 적용 가능성을 어떻게 높일 수 있을까요? 비록 인간에게 이러한 모델의 표현이 직관적으로 느껴질 수 있으나, 머신러닝을 기반으로 한 방법으로 정교한 지식 표현을 획득하는 것은 어려운 일입니다. 이러한 표현의 한 예로는 귀속 규범에 따라 구성된 귀속 미적분(attribution calculus)이 있습니다. 다음 단락에서는 이러한 접근 방식에 대한 더 심층적인 분석을 제시할 것입니다.

수용 가능성: 모델이 실제로 현장에서 사용될 수 있도록 하는 것은 중요합니다. 모델이 현재 수행 중인 작업과 일치하고, 기존 절차를 따르며, 전문가들이 보유하고 있는 기존 지식과 조화를 이루어야 합니다. 이는 모델이 널리 수용되기 위한 필수 요소입니다. 이런 기준과 개방성의 연관성은 무시할 수 없으며, 의료 분야는 특히 대중의 신뢰를 얻는 데 어려움을 겪을 수 있습니다.

새로 개발된 모델이 기존 전략보다 정확하고 우수하다고 해도, 의사와 관리자, 지원 인력이 현 업무 방식을 바꾸는 것을 꺼릴 수 있습니다. 연구 결과가 즉각적인 성과 개선이나 참여자에 대한 인센티브 창출로 연결되지 않을 경우, 연구 결과를 인정받지 못할 수도 있습니다.

복잡한 데이터 처리 능력: 의료 데이터의 복잡성은 잘 알려져 있습니다. 의료 데이터에서 머신러닝을 효과적으로 활용하려면 데이터 준비, 변수 인코딩 등의 기본 작업뿐 아니라 상당한 데이터 변환 처리가 필요합니다. 의료 분야에서 머신러닝 전략이 널리 사용되기 위해서는 이러한 전략이 추가적인 인위적 인코딩 없이도 원시 환자 데이터와 호환되어야 합니다. 즉, 머신러닝의 효용성을 높이기 위해선 데이터 호환성이 필수적입니다.

의료 데이터에서 머신러닝 기법을 단순히 의미 없는 숫자로 처리하지 않는 것이 중요합니다. 고급 머신러닝 알고리즘은 다양한 데이터 유형에 적합할 수 있으나, 현재 도구들은 ICD-9, ICD-10, CPT, SNOMED, HL7 같은 널리 사용되는 표준을 직접적으로 지원하지 않습니다. 이는 머신러닝 도구가 지속적으로 개선되고 있음에도 불구하고 발생하는 문제입니다.

배경 지식의 처리 능력: 인간은 제한된 정보를 바탕으로 중요한 판단을 내릴 수 있지만, 컴퓨터는 방대한 데이터를 필요로 합니다. 이는 컴퓨터가 경험을 통해 학습할 수 없기 때문입니다. 따라서 머신러닝 알고리즘은 방대한 데이터에 반드시 의존하지 않고도 풍부한 배경 지식을 효과적으로 활용하여 작동할 수 있어야 합니다. 이는 알고리즘에 주어진 역사적 맥락 지식이 풍부하기 때문에 가능합니다. 머신러닝 프로세스는 의료 및 헬스케어 관련 주제에 대해 방대한 데이터를 처리할 수 있는 능력을 가져야 하며, 이 정보는 종종 서면으로만 접근할 수 있습니다.

효율성: 모델 유도 및 적용 절차는 모두 효율적이어야 합니다. 의료 분야에서 사용되는 머신러닝 알고리즘은 엄청난 양의 데이터를 처리할 수 있어야 하며, 이는 곧 절차의 계산 복잡성이 높다는 것을 의미합니다. 고객은 절차가 특정 시간 내에 완료될 것으로 기대하며, 결과가 '충분히 좋은' 수준이어야 합니다.

내보내기 가능성: 머신러닝 결과는 다른 플랫폼이나 의사결정 보조 도구로 쉽게 이전되어 즉시 사용될 수 있어야 합니다. 새로 개발된 모델이 기존 모델과 함께 작동하는 것은 흔한 일이며, 이를 가능하게 하기 위해선 모델 간의 호환이 필수적입니다. 예를 들어, 학습된 모델은 Arden 구문을 사용하여 규칙으로 재해석되거나, 이 언어를

사용하여 직접 학습될 수 있습니다. 임상 의사결정 지원 시스템에서는 종종 Arden Syntax라는 표현 언어가 사용됩니다. 만약 모델이 전혀 다른 표현을 사용하여 학습된 경우, 이를 목표 언어로, 대개는 대략적으로, 변환해야 합니다.

4.7 규칙 학습

지난 수십 년간 규칙 학습 알고리즘과 컴퓨터 프로그램이 다수 개발되었습니다. 머신러닝 연구는 다양한 규칙에 주목하며, 이 규칙들은 사용되는 맥락과 취하는 형태에 따라 분류됩니다. 예외를 허용하는 분류 규칙은 인스턴스를 개념으로 분류하는 데 사용되며, 규칙이 적용되지 않는 상황을 설명하는 섹션이 포함됩니다. 다른 유형의 규칙으로는 연관 규칙과 의사 결정 규칙이 있으며, 이들은 각각 데이터 집합의 규칙성을 나타내거나 의사 결정을 지원하는 데 사용됩니다.

AQ21 시스템은 다양한 속성 유형을 처리할 수 있는 유연성, 메타값 관리, 개별 또는 집계 데이터에서의 학습, 노이즈 관리, 대안적 가설 생성 등의 기능 덕분에 복잡한 의료 시나리오에 특히 적합합니다. 이 시스템은 다양한 데이터 소스에서 정보를 가져오고 활용할 수 있는 능력이 뛰어나며, 크고 작은 데이터 세트를 모두 관리하고 다양한 형태의 배경 정보를 활용하여 학습할 수 있습니다.

AQ21을 사용하는 프로세스에서 속성 규칙은 사용 가능한 지식을 표현하는 주요 방법입니다. 다음 섹션에서는 귀속 원칙에 대한 개괄적인 소개와 함께 AQ21에서 사용되는 주요 알고리즘에 대해 논의합니다. 대부분의 소프트웨어 애플리케이션은 '속성-값' 유형의 간단한 조건 연결로 이루어진 규칙을 제공하며, 이는 기본 개념 설명에도 필요한 규칙입니다. 속성 규칙은 현재 머신러닝 알고리즘에 의해 생성되는, 표현력이 가장 높다고 평가되는 규칙의 하나로, 정보를 귀속 미적분학, 약칭 AC로 표현하는 주요 방식입니다.

AC (귀속 미적분)의 목적은 자연적 귀납을 지원하는 것입니다. 자연적 귀납은 사람에게 자연스럽게 보이는 결과를 도출하는 일종의 귀납적 학습입니다. AC는 이러한 지원을 제공하기 위해 고안되었습니다. 자연 귀납이 유효하기 위해서는, 자신의 지식이 모국어로 표현한 내용과 동등해야 합니다. 이를 통해 머신러닝이나 지식 마이닝 교육을 받지 않은 사람들도, 그들의 모국어가 영어가 아닐지라도, 기술적인 배경 없이도 프로세스를 이해할 수 있습니다. 따라서 의학, 의료 관리, 간호 및 연구 등의 분야에서 일하는 사람들은 컴퓨터 시스템을 통해 수집된 정보를 분석, 해석, 수정 및 활용할 수 있어야 하며, 이러한 목적을 달성하기 위해선 지식 검색 도구에서 사용하는 언어가 일반적인 영어로 자동 번역되거나 이해하기 쉬운 방식으로 표현되어야 합니다.

"약속", "결과", "예외" 및 "조건"은 모두 복합 접속사를 구성하는 접속사의 예입니다. 복합 접속사는 귀속 논리에서 사용되는 접속사입니다. "예외"라는 용어는 규범에 대한 예외를 만들어내는 특정 사건의 목록을 의미할 수 있습니다. 예외나 전제 조건이 없는 규칙은 전제가 참일 때 결과 역시 참이 되는 방식으로 해석됩니다. 예외를 포함하는 규칙은 예외가 참인 상황을 제외하고 전제가 참일 때 결과가 참이 됩니다. 이는 규칙이 예외를 허용하는 방식으로 작성되었기 때문입니다. 전제 조건을 포함하는 규칙에 대한 일반 해석은, 전제 조건이 참일 경우, 조건이 참이면 결과도 반드시 참임을 의미합니다.

이는 결과가 항상 참임을 의미합니다. 이 구조에서 "b"와 "d"는 각각 "예외"와 "전제 조건"을 나타내는 데 사용됩니다. 각 규칙은 여러 매개변수를 옵션으로 포함할 수 있으며, 이에는 적용되는 사례 수(긍정적 및 부정적 모두), 규칙의 복잡성 등이 포함될 수 있습니다. 하나 이상의 규칙으로 구성된 규칙 세트는 대부분의 경우 데이터 클래스에 대한 설명의 대부분을 차지합니다. 현재 평가되고 있는 규칙들은 서로 독립적이며, 이는 한 규칙의 진실성이 다른 규칙의 해석에 영향을 미치지 않음을 의미합니다.

이는 규칙 학습 알고리즘이 다음 규칙을 학습하기 전에 주어진 순서대로 각 규칙을 평가해야 하는 순차적 규칙 학습과 대조됩니다. 순차적 규칙은 알고리즘이 이해하기 비교적 쉽기 때문에 규칙 학습에서 자주 이용됩니다.

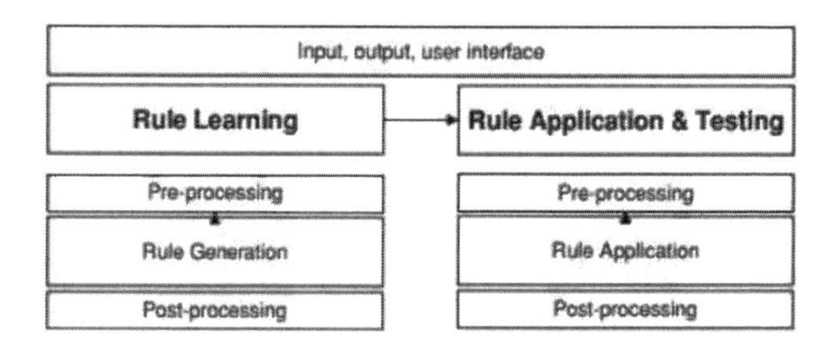

그림 4.8 AQ21 시스템 아키텍처

첫 번째 모듈은 속성 귀속의 획득을 담당하며, 두 번째 모듈은 전처리 모듈, 규칙 생성 모듈, 후처리 모듈과 데이터 및 배경 지식을 활용하는 학습 모듈로 구성됩니다. 유사하게, 테스트 모듈은 데이터와 규칙을 공통 형식으로 변환하는 전처리 모듈, 규칙과 사례를 매칭하는 규칙 적용 모듈, 요약 및 통계 계산을 수행하는 후처리 모듈의 세 가지 하위 모듈로 이루어집니다. 각 하위 모듈은 특정 기능을 수행하며, 이들 모듈을 통해 효율적으로 작업을 처리할 수 있습니다.

데이터 준비와 이전에 취득한 지식을 활용하는 것은 새로운 규칙을 학습하는 과정의 첫 단계입니다. 이후에는 정보를 적절한 형태로 변환하는 단계가 이어집니다. 이 과정은 속성 값을 인코딩하는 간단한 단계를 포함할 수도 있고, 보다 복잡한 건설적 귀납법을 필요로 할 수도 있습니다. 건설적 귀납법은 자동화된 방식으로 속성, 유형 및 도메인을 포함하는 표현 공간을 결정하는 것을 목표로 합니다.

AQ21은 지식 기반 건설적 유도(KCI)와 가설 기반 건설적 유도(HCI)를 포함하여 다양한 건설적 유도 전략을 지원합니다. 일반적으로 건설적 귀납에는 속성 선택, 속성 생성, 속성 변경과 같은 다양한 연산자가 사용되며, 이는 AQ 학습 시스템의 규칙 생성 모듈에서 중추적인 역할을 수행합니다. 이 모듈은 분할 정복 전략 이전에 사용되어 오다가, 점차 교육 시스템에서 주요하게 활용되게 되었습니다.

이 규칙 학습 방법을 사용하여, 목표 클래스에 대한 대용 데이터를 점진적으로 처리하면서 요구 사항을 충족하지 않는 데이터는 제거합니다. AQ21 규칙 생성 모듈은 하나의 예시에서 시작하여 해당 예에 대한 수많은 일반화를 생성합니다. 이 일반화들은 제공된 데이터 및 컨텍스트와 일치하거나 적어도 부분적으로 호환됩니다. 하나의 일반화 생성이 완료되면, 이 과정을 반복하여 '스타 생성'이라는 기법을 통해 사용 가능한 데이터의 일부를 설명하는 규칙 또는 규칙 그룹을 생성합니다. 이 방법은 노이즈가 있는 데이터에서 잘못된 추론을 방지하기 위해 여러 개의 별을 동시에 생성할 수 있습니다.

결론적으로, 데이터 준비와 이전 지식의 활용은 새로운 규칙을 배우는 과정에서 필수적인 첫 번째 단계입니다. 후속 단계로, 정보를 적절한 표현으로 변환해야 합니다. 이 과정은 간단하거나 복잡할 수 있으며, 목표는 자동화를 통해 표현 공간을 결정하는 것입니다. 이 모든 단계는 최종적으로 규칙 테스트 및 적용 모듈로 이어지며, 여기서는 가설과 예제의 일관성을 검증하고 실제 정보 적용을 준비합니다. 각 적용 사례는 일련의 기준에 따라 평가되며, 이는 의사결정 지원 규칙을 어떻게 사용할지에 대한 불확실성을 해소하는 데 도움이 됩니다.

예시가 규칙을 얼마나 충족하는지 여부는 규칙을 엄격하게 또는 유연하게 적용해야 하는지를 판단하는 데 사용될 수 있습니다(0에서 1 사이의 일치 정도를 DM으로 계산할 때 사용). 특정 상황이나 규칙, 또는 전체 규칙 세트를 유연하게 분석하는 것은 다양한 스키마를 사용하여 수행할 수 있으며, 이중 어느 것이든 분석에 사용될 수 있습니다. 대부분의 분류기는 하나의 명확한 결과만을 생성하는 반면, AQ21 애플리케이션 모듈은 여러 가능한 답변을 제공하거나 때로는 '모름'으로 응답할 수 있습니다. 이 접근법은 확실하게 틀릴 가능성이 있는 답변을 제공하기보다는 사용자에게 여러 가능한 답변을 제시하거나 아예 답변을 하지 않는 것을 선호합니다.

4.8 규칙 학습에서 의사 결정 지원으로

"의사 결정 지원 시스템"이라는 용어는 의사 결정 과정을 돕는 모든 전자 시스템을 지칭합니다. 이 용어는 간단한 스프레드시트 소프트웨어부터 복잡한 규칙 기반 전문가 시스템에 이르기까지 다양하게 사용됩니다. 또한, 이 장에서는 지식 기반 의사 결정 지원 시스템에 대하여 주로 다룰 예정입니다. 이러한 시스템은 내장된 지식 데이터베이스에 저장된 정보를 활용하여 사용자에게 도움을 제공합니다.

일반적으로 의사 결정 지원 시스템은 정보가 시간이 지나도 변하지 않는 정적인 특성을 가지고 있다고 여겨집니다. 반면에 데이터베이스 관리 시스템처럼 동적인 소프트웨어는 발생하는 변화에 따라 즉각적으로 수정될 수 있습니다.

그럼에도 불구하고, 머신러닝을 기반으로 하는 의사 결정 지원 시스템은 다이내믹한 설정에서 변화와 적응이 가능합니다. 머신러닝이 의사 결정을 지원하는 데 도움이 되는 주요 이유 중 하나는 유연성 때문입니다. 예를 들어, 알림 시스템은 처방약 간의 상호작용이나 예상치 못한 검사 결과와 같은 다양한 정보를 의사에게 알려줄 수 있습니다. 그러나 지나치게 민감한 알림 시스템은 경고 피로를 유발할 수 있습니다. 이는 시스템이 너무 많은 경고를 생성하여 의료 전문가들이 경고를 무시하기 시작할 수 있는 문제입니다.

시스템에서의 메시지 과부하를 방지하기 위해 전체 시스템에 제한 또는 임계값을 설정하는 것이 일반적인 접근 방식 중 하나입니다. 이 방법은 모든 사용자의 요구 사항을 충족하도록 시스템을 조정하여, 최소한의 경고만을 제공합니다. 머신러닝 기반 시스템은 의사와 같은 특정 사용자가 따르는 특정 절차에 맞춰 자체를 조정할 수 있는 능력을 가질 수 있습니다. 판매 및 관리 등을 포함한 다양한 분야에서 의료 논리 모듈(MLM)은 최신 연구와 검증된 방법에 근거한 권장 사항을 제공합니다. 이러한 시스템은 의료 결정 과정에서 중요한 역할을 하며, 새로운 데이터를 합성하여 다양한 형태로 정보를 제공할 수 있습니다.

MLM에는 '로직' 슬롯과 '데이터' 슬롯이 있습니다. '로직' 슬롯에서는 실제 규칙이 작성되며, '데이터' 슬롯은 속성 값을 생성하고 필요한 형식으로 변환하는 데 사용됩니다. 이 두 슬롯은 함께 조합되어 사용되며, 하나의 MLM은 전체 의사 결정 과정과 동일하게 여러 개의 규칙으로 구성됩니다. 이 규칙들이 결합되어 완전한 규칙 집합을 형성합니다. 또한, 주제별 전문가는 변화하는 법률 및 규정 준수 요건을 수용하기 위해 귀속 기준을 수동으로 분석하고 수정할 수 있습니다.

이 연구는 머신 러닝 전략을 사용하여 의료 서비스 제공업체의 운영 및 성과를 개선함으로써 청구 절차를 향상시키는 것을 주요 목표로 합니다. 미국 전역의 의료 전문가들이 겪고 있는 지속적인 부담은 수익 감소로 인한 직접적인 결과입니다. 의료비 지불자들은 지출 관리 압박을 점점 더 많이 받고 있으며, '환자 보호 및 저렴한 의료법' 실행으로 인해 이 문제는 더욱 심화될 것입니다. 병원과 독립적인 의료 서비스 제공자들은 이러한 기대와 의료 시스템의 낭비, 사기, 남용을 방지하기 위한 노력의 일환으로 '완벽'을 추구해야 합니다.

병원과 기타 독립 의료 서비스 제공자들은 정확한 청구와 신속한 지급을 보장받아야 한다는 압박을 받고 있습니다. 지불자는 지불 승인 요건을 충족하기 위해 적절한 치료 증거가 제공되었는지 확인해야 합니다. 서비스 제공자는 수익 손실을 방지하고 올바른 환급 가능성을 높이기 위해 모든 관련 데이터를 관리하는 데 주의를 기울여야 합니다. 청구 및 수익 주기를 성공적으로 관리하고, 보장 범위, 치료/서비스 문서 및 지불 이상을 감지하고, 이 과정에서 재무 및 임상 담당자를 안내하기 위해서는 의사 결정 지원 및 심사 도구가 필수적입니다.

첫 번째 연구 사례는 2008년 동안 수집된 산부인과 데이터의 일괄 처리를 기반으로 합니다. 데이터는 당시 수집되었으며, 처리 과정의 첫 단계는 데이터를 머신 러닝 소프트웨어의 요구 사항과 호환되도록 조정하는 사전 처리입니다. 현재 병원 정보 시스템의 여러 테이블에 분산된 데이터는 플랫 파일로 변환되어야 하며, 여기에는 변수에 대한 추가 처리가 필요합니다. 두 번째 단계에서는 머신러닝 시스템 AQ21을 사용하여 매우 정밀한 예측 모델을 생성합니다.

이 접근 방식은 '정상 결제'와 '비정상 결제'를 구분하여 모델 생성 프로세스에 적용됩니다. '정상 결제'는 계약에 부합하는 결제를, '비정상 결제'는 그렇지 않은 결제를 의미합니다. 규칙 학습이 완료되면, 모델은 청구서가 지급인에게 제시되기 전에 정기적으로 지급될 가능성이 높은지를 평가합니다. 메디케이드가 주 보험인 산부인과 환자의 청구 데이터를 대상으로 한 이 방법의 초기 적용 결과는 긍정적이었습니다. 이 접근 방식은 청구 정보 검토 시 중요한 이점을 제공합니다.

머신 러닝의 발전으로 이제 청구서 제출 전에 자동으로 청구 지급 가능성을 예측할 수 있는 모델을 구축하는 것이 가능해졌습니다. 이러한 모델은 공식적인 법률이 제정되기 전에도 개발될 수 있으며, 청구서가 수취인에게 전달되기 전에 정보를 필터링하여 전체 대금 수령 확률을 높이고 부당 거절을 줄일 수 있습니다. 둘째, 귀속 규칙을 사용하면 명확한 모델 표현을 통해 청구 거절 추세를 파악하고 워크플로우 효율성을 향상시킬 수 있습니다. 이러한 이점은 효과적인 모델 표현과 직접적인 관련이 있습니다.

4.9 비교 효과 연구

생의학 연구 영역에서 고품질의 표준 연구 방법은 무작위 대조 임상시험(RCT)입니다. 무작위 대조 시험이 어려운 상황에서는 기존의 의료 기록에서 수집된 데이터를 이차적으로 분석할 수밖에 없습니다. 규칙 학습 접근법을 사용하는 것은 다양한 치료법이나 약물의 상대적 효과를 비교할 때 유용할 수 있습니다. 이는 종종 시행착오 방법으로 제안되는 결과입니다.

비교 효과 연구는 기존의 개념 학습과 다르게 접근합니다. 이 연구에서 다루는 문제는 예제가 속한 카테고리의 신원을 밝히는 것이 아닌, 특정 치료법의 효과를 비교하는 것입니다. 이 섹션의 정보는 행으로 구성되며, 각 행에는 환자 상황을 나타내는 Ci, 치료 또는 치료 조합을 나타내는 Ti, 그리고 결과를 설명하는 Oi의 세 개의 열로 구성됩니다.

이러한 연구에서 구축된 모델은 특성의 확률에 따라 긍정적 또는 부정적 결과를 가져올 것으로 예상되는 환자 특성 그룹(또는 클러스터)을 식별합니다. 각 그룹은 특성의 가능성에 따라 결정됩니다. 특정 상황에서는 두 가지 이상의 치료 조합이 적절할 수 있으며, 일부 조합은 효과가 없을 것으로 예상됩니다. 이는 목록이 완전하지 않을 수 있음을 의미합니다. 두 번째 가능성에서는 원칙을 유연하게 해석하여 가능성이 가장 높은 치료 조합을 선택할 수 있습니다. 보다 전통적인 테스트는 머신 러닝을 사용하여 선택된 환자 그룹에 대해 수행될 수 있습니다. 이는 최적의 치료법을 결정하는 데 도움이 됩니다.

그림 4.10에서는 집계된 데이터를 사용하여 규칙 학습을 수행하는 단계를 나타냅니다.

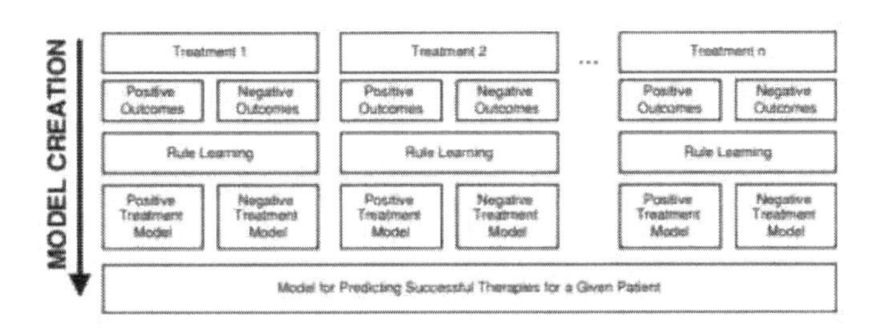

그림 4.9 비교 효과 연구를 위한 모델 생성

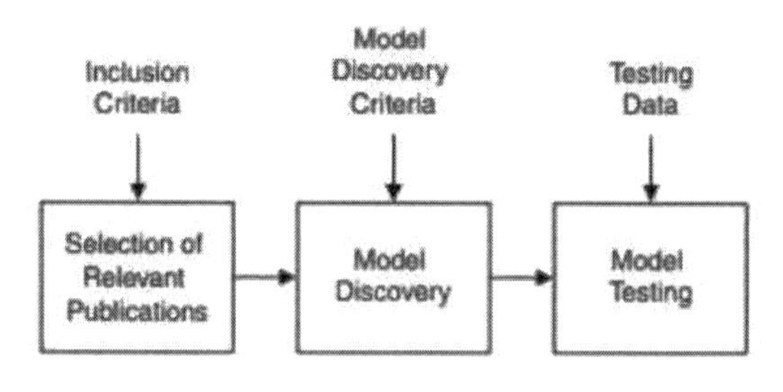

그림 4.10 게시된 집계 데이터에서 규칙 학습의 단계

4.10 집계된 데이터

다양한 임상 연구에서 수집된 데이터를 통합하는 것은 점점 더 중요한 과제가 되고 있습니다. 현재까지 발표된 대부분의 연구는 소규모 코호트에 초점을 맞추고 있으며, 플랫폼마다 일관성 없는 결과를 제공하는 경우가 많습니다. 이는 일반적인 연구 결과와 일치합니다. 건강 보험 이동성 및 책임에 관한 법률(HIPAA)이 임상 매개변수의 개별 측정 값을 보호하기 때문에, 2차 분석을 위해 서로 다른 코호트를 하나의 대규모 데이터베이스로 결합하는 것은 불가능합니다. HIPAA는 모든 미국인이 의료 서비스를 더 쉽게 이용할 수 있도록 만들기 위해 제정되었습니다. 체계적인 문헌 고찰에서 메타분석 절차는 여러 연구 결과를 통계적으로 통합하는 것을 목적으로 합니다.

이러한 접근법은 메타분석에서 일반적으로 사용되지 않는 예측 모델이나 분류 모델을 만들거나 지식 발견 과정에 참여하는 것과는 다릅니다. 여기서 우리가 관심을 갖고 있는 주제는 특정 개별 사례가 아니라 수많은 연구 프로젝트에서 공개된 집계된 데이터를 기반으로 규칙을 학습하는 방법입니다. 이러한 접근 방식의 목적은 데이터가 특정 기준 세트 C를 충족하는 과거 연구 결과를 활용하여 질병 진단을 위한 모델 M을 구축하는 것입니다.

이 기법은 특정 질병 D의 진단 과정을 공개할 필요 없이 관련 데이터 요약만 제시하면 됩니다. 이 접근법은 메타분석의 표준 절차와 관련된 공통 포함 기준 없이도 효과적으로 진행될 수 있습니다, 왜냐하면 이 기준은 표준 절차에 필수적이기 때문입니다.

모델 생성 절차를 따르면, 학습된 규칙은 이 논의의 중심이 될 것이며, 머신 러닝 알고리즘을 사용하여 집계된 데이터에서 환자 집단을 특징짓는 과정을 통해 질병 D를 앓고 있는 환자 X를 정확하게 진단할 수 있습니다. 모델 M은 집계된 통계 A, 포함 기준 C, 그리고 다양한 그룹 정보 G를 활용하여 구성됩니다.

이 기법은 집계된 데이터에서 학습을 수행하며, 발표된 연구에서 얻은 소규모 환자 코호트에 대한 요약 설명을 활용하여 대사 증후군과 관련된 간 질환의 진단 모델을 구축하는 데 사용되었습니다. 이 설명들은 대중에게 접근 가능하며, 의료 연구에서 나온 데이터를 기반으로 합니다. 대사 증후군의 유병률은 미국에서 약 4,700만 명에게 영향을 미치며 증가하고 있습니다.

수집된 임상 데이터는 발표되기 전에 자격을 갖춘 의료 전문가들의 동료 검토를 거쳤습니다. 우리는 규칙 학습 방법을 개발하여 보다 큰 규모의 규칙 풀을 구축할 수 있었으며, 이는 다발성 장애의 진행을 예측하는 데 사용될 수 있습니다. 이 그룹에는 비알코올성 지방간 질환(NAFLD), 비알코올성 스테아토헤파티티스(NASH) 및 기타 관련 질환들이 포함됩니다. 출력 속성은 계층 구조로 구성되며, NAFLD 그룹에서는 NASH와 SS 인스턴스가 모두 포함될 수 있습니다.

이 사실을 이해하면 상황에 따라 적절한 조치를 취할 수 있는 영감을 얻을 수 있습니다. 다양한 매개변수의 조합으로 AQ21 알고리즘을 실행하여 NAFLD 또는 NASH를 예측할 수 있는 규칙 세트를 개발했습니다. 이 규칙 세트의 정확성은 잘 정의된 NAFLD 데이터베이스를 사용한 블라인드 검증으로 입증되었습니다. 이 데이터베이스에는 생검을 통해 진단받은 489명의 환자에 대한 자세한 임상 및 실험실 정보가 포함되어 있습니다.

5장.

머신러닝을 사용하여 홈 케어 고객을 위한 재활 계획 세우기

머신러닝 기술은 생물학적 응용 분야, 특히 유전자 및 단백질이 수행하는 기능을 예측하는 데 상당히 많이 사용되고 있습니다. 유전자 치료 분야에서 발견된 여러 응용 사례는 유전자 치료가 심혈관 질환 예측, 췌장염의 중증도 평가, 유방암 및 흑색종의 발견과 자가 진단 등 다양한 의료 분야에 활용될 가능성을 보여줍니다. 그러나 임상 의사들 사이에서는 머신러닝 알고리즘이 경험과 명확한 근거 기반 치료 경로를 반영한 의사 결정과 양립할 수 없다는 '블랙박스'라는 인식 때문에 그 도입을 꺼리는 경향이 있습니다.

이러한 관점은 머신러닝 알고리즘의 도입을 저해하는 주요 원인 중 하나로, 명확한 증거 기반 치료 경로에 기반한 의사 결정과의 부합성에 대한 우려 때문입니다. 이러한 우려는 이해할 수 있으나, 점점 더 많은 데이터베이스가 평가 데이터를 포함하게 됨에 따라 이를 활용하지 않는 것은 근거 기반 임상 의사결정을 개선할 수 있는 중요한 기회를 놓치고 있는 것입니다.

이 장에서는 머신러닝 알고리즘을 단순한 '블랙박스' 예측을 넘어서 창의적으로 활용하여 유용한 치료 및 과학적 통찰을 제공할 수 있는 방법에 대해 설명합니다. 노년층의 재활 과정에 머신러닝 전략을 적용할 수 있는 방법을 조사하기 위해 다양한 보행 패턴과 활동 시나리오를 분류하기 위한 머신러닝의 활용을 탐구하고 있습니다. 초기의 머신러닝 적용은 때때로 모순된 결과를 초래하기도 했습니다.

캐나다 보건연구기관(CIHR)의 지원을 받아 진행된 "InfoRehab" 학제 간 연구 이니셔티브는 65세 이상의 환자에게 접근 가능한 정보를 활용하여 재활 과정을 개선하는 것을 목표로 하고 있습니다. 이 연구 프로그램은 일반적으로 건강 평가 중에 얻은 정보를 효과적으로 활용하여 치료 의사 결정을 개선하고 환자의 결과를 개선할 수 있는지 여부를 조사합니다.

재활은 노인의 기능적 독립성과 삶의 질을 향상시켜 의료 시스템에 드는 비용을 줄일 수 있음에도 불구하고, 많은 노인 환자들이 재활의 혜택을 받지 못하고 있습니다. 이는 가용한 재활 자원의 부족

때문에 발생합니다. 그러므로 제한된 자원을 가장 큰 혜택을 볼 수 있는 사람들에게 집중하는 것이 중요합니다. 그 결과, 더 많은 노인 환자들이 재활 치료의 혜택을 얻을 수 있게 되는 것이 주요 연구 목표입니다.

노인 환자들은 다양한 이유로 재활의 혜택을 받을 수 있습니다. 이에는 근골격계 질환(예: 고관절 골절 및 골관절염), 치매, 장기간의 병원 입원 등이 포함됩니다. 노인의 재활 참여는 취약성, 임상적 복잡성 및 동반 질환의 이질성 때문에 많은 도전과제를 안고 있습니다. 이러한 도전 중 하나는 개인의 인지 기능 장애가 재활 과정에 미치는 영향입니다.

인지 기능은 노인 환자의 재활 성공 여부를 결정하는 데 매우 중요한 요소로 밝혀졌으며, 따라서 재활 평가에 있어 주요 지표로 자주 활용되고 있습니다. 이는 운동 및 치료 프로그램 지침을 충실히 따르기 위해 필요한 충분한 인지 능력이 요구되기 때문입니다. 어떤 의료 전문가들은 인지 기능 저하가 있는 환자도 재활을 통해 신체 기능을 개선할 수 있다는 것을 발견하여, 인지 능력 수준에 관계없이 모든 환자가 치료의 혜택을 누릴 수 있다는 결론을 내렸습니다.

IQ가 높다는 것이 일반적으로 더 좋은 수행 능력과 관련될 수 있음에도 불구하고, 콜롬보와 연구 팀은 노인 환자를 돌보는 시설에서 환자의 인지 능력이 그들의 실제 기능 발달과 필연적으로 관련이 없다는 것을 발견했습니다. 고관절 골절을 겪은 환자들을 대상으로 한 무작위 대조 연구에서, 인지 장애가 있는 환자들도 회복 경향을 보였습니다. 이는 재활 치료의 접근성이 향상됨과 동시에 나타난 현상입니다. 이들 환자의 평균적인 예후가 개선되지는 않았지만, 이 연구 결과는 매우 의미 있는 것으로 나타났습니다. 이에 따라, 인지 장애를 재활 프로그램 선택의 제한 요소로 활용하는 것이 어렵습니다. 인지 장애가 있는 사람들은 기분, 기존의 건강 상태, 기저 신체 기능, 동기 부여, 동반 질환, 직업 유무, 그리고 다른 다양한 개인적 특성의 복합적인 영향을 받을 때 재활에 성공할 가능성이 높아질 수 있습니다.

문제는 이들 다양한 변인들이 어떻게 상호작용하는지에 대한 명확한 이해가 아직 부족하다는 것입니다. 재택 치료와 커뮤니티 서비스의 가치가 인정받고 있음에도 불구하고, 이에 대한 자금 지원은 계속적인 도전과제입니다. 기존의 제도적 치료비용과 비교했을 때, 이러한 서비스에 투입되는 비용은 상대적으로 낮습니다.

최근 연구에 의하면, 이미 제한적인 재택 재활 자원이 더욱 감소하고 있다는 사실이 밝혀졌습니다. 이러한 상황은 재활 서비스의 효과적인 계획과 분배를 지원할 연구의 절실한 필요성을 더욱 부각시킵니다. 캐나다 온타리오 주에 위치한 연구기관에서는 커뮤니티 케어 액세스 센터(CCAC)가 재가 서비스 조정을 담당하고 있으며, MDS-HC로 알려진 종합적 평가 도구 RAI-HC의 개발은 다국적 연구 협력인 InterRAI에 의해 이루어졌습니다.

CCAC의 사례 관리자들은 RAI-HC를 사용하여 모든 장기 재택 간호 고객의 요구 사항을 평가합니다. 이 도구는 전 세계 여러 지역에서 사용되며, 기능 상태, 진단, 인지능력, 의사소통 능력, 기분 및 행동, 비공식적인 지원을 포함한 다양한 고객 특성을 평가하는 300개 이상의 항목으로 구성되어 있습니다. 평가 결과는 치료 계획, 결과 측정, 품질 개선, 자원 분배에 유용하게 활용될 수 있습니다. 평가는 입원 시점과 평균 6개월마다 이루어지며, 이 데이터는 풍부한 연구 자료를 제공하여 머신 러닝과 데이터 마이닝 연구 프로젝트에 이용될 수 있습니다.

온타리오주에서 RAI-HC 평가 정보를 활용한 데이터베이스는 머신 러닝과 데이터 마이닝에 사용될 수 있는 풍부한 자료를 제공합니다. 이후 이러한 평가 데이터는 사망률 및 이주 경향에 대한 데이터뿐만 아니라 서비스 이용에 대한 구체적인 정보와 함께 행정 데이터와 상호 연결되었습니다. 이 장에서는 이러한 머신 러닝 기법을 임상 의사 결정에서 예측 및 설명 작업에 적용하는 사례를 소개합니다. 건강 결과 데이터는 이러한 두 유형의 과제를 완수하기 위해 필요합니다.

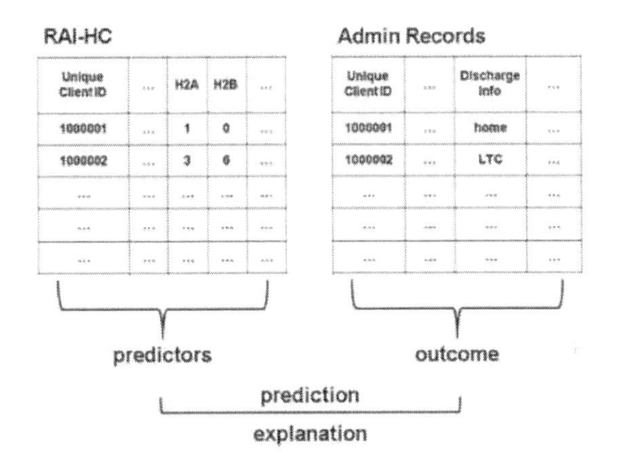

그림 5.1 데이터 세트 구조의 개략도: RAI-HC 평가 항목은 건강 결과 및/또는 서비스 이용 데이터와 연결되어 분석을 용이하게 함.

이 장에서는 머신 러닝이 예측 및 분석 작업에 어떻게 적용될 수 있는지 보여주는 몇 가지 예를 다룹니다. 이는 다양한 임상 환경에서 얻은 데이터를 바탕으로 합니다. 특히, 고객의 퇴원 및/또는 서비스 이용에 대한 정보를 CCAC의 행정 기록에서 추출하여 RAI-HC 데이터와 통합하는 과정이 자주 진행되었습니다. 이는 초기 평가 후 6개월 또는 1년 이내에 시행됩니다. 첫 번째는 이러한 종류의 애플리케이션에서 재활 혜택을 가장 많이 받을 것으로 예상되는 노인 환자를 식별하는 방법을 설명합니다.

이는 머신 러닝이 어떻게 응용될 수 있는지에 대한 구체적인 예를 제공하며, 예측 작업에 주로 초점을 맞추기보다는 의사가 관심을 가질 수 있는 설명 작업을 설명합니다. 또 다른 예는 재활 치료를 받는 사람들의 특성을 가장 잘 파악할 수 있는 필수 변수를 식별하는 방법을 보여줍니다. 이러한 변수를 파악하는 것은 재활 서비스 제공과 관련된 현대 의료 관행과 의사 결정에 중요한 영향을 미칠 수 있습니다. 이 검토는 제한된 자원 및 재활 혜택을 받지 못하는 많은 재가 간호 고객이나 환자들의 상황을 고려할 때 특히 중요합니다.

마지막 예시는 사전에 패키징된 머신 러닝 알고리즘이 데이터의 예측 및 설명에서 어떻게 활용될 수 있는지 보여줍니다. 우리는 이 알고리즘을 사용하여 환자가 장기 요양 시설에 배치될 가능성을 예측하고 그와 관련된 주요 위험 요소를 식별하는 데에도 주력하고 있습니다. 여기에서는 노인의 재활과 관련된 여러 긴급한 문제를 해결하고 머신 러닝 기법을 활용하는 방법을 보여줄 뿐만 아니라 이러한 기술이 다양한 환경에서 어떻게 적용될 수 있는지에 대한 일반적인 가이드라인을 제공합니다. 복잡한 알고리즘과 단순한 알고리즘의 효율성을 비교하고, 때로는 '블랙박스'라고 인식되는 알고리즘이 유익한 과학적 통찰력을 제공하거나 직접적으로 과학적 통찰을 추출하는 데 사용될 수 있음을 보여줍니다.

다음 섹션에서는 RAI-HC 평가 항목에서 발견된 특정 문제 또는 위험을 평가하는 데 CAP(임상 평가 절차)이 어떻게 사용될 수 있는지에 대해 자세히 다룰 예정입니다. 이는 머신 러닝 알고리즘에 의해 수행되는 활동으로 아주 적합합니다. 두 가지 다른 머신러닝 기법을 사용하여 고객의 재활 가능성을 평가하고, 치료 대상자인지 여부를 확인하는 방법을 설명합니다. 이 과정은 앞서 언급한 문제, 즉 재활 치료를 받으면 혜택을 볼 수 있는 많은 사람들이 현재 재활 치료를 받지 못하고 있는 상황을 해결하는 데 중요한 한 걸음입니다.

ADLCAP, 일상 생활 활동(ADL: Activities of Daily Living) 평가

의 중요성은 재활 과정과 재활 가능성 평가에서 매우 중요합니다. 이 섹션에서는 간단한 K-최근접 이웃(KNN) 기법과 계산적으로 복잡한 최첨단 방법인 서포트 벡터 머신(SVM)과 ADLCAP을 비교 분석합니다. 이 연구는 첫 번째 지역의 CCAC 데이터 수집을 시작으로 7개 지역의 데이터에 KNN과 SVM을 적용하여 예측 모델을 만들었습니다. 각 지역에서 발생한 사건에 대한 예측을 개발할 때는 다른 7개 지역에서 무작위로 선택된 2,500명의 고객 데이터로 구성된 훈련 세트를 활용하였습니다.

이 접근법으로 인해 각 컴퓨터가 특정한 데이터만을 사용하여 결과를 정확하게 예측하기 어렵다는 문제가 있었습니다. 또한, 알고리즘의 조정 매개변수는 교차 검증이라는 프로세스를 통해 선정되었으며, 전체 오류율은 선택 과정에서 주요 기준으로 사용되었습니다. 교차 검증은 다양한 조정 매개변수 값을 평가하기 위한 머신러닝 분야에서 흔히 사용되는 기법입니다. 이 방법의 중요성에도 불구하고, 여기서는 교차 검증에 대한 자세한 설명은 생략하겠습니다.

최근에는 인터RAI 협력에 의해 ADLCAP을 포함한 CAP에 대한 개선 작업이 진행되었습니다. 이 연구는 재활 절차의 개발에 중요한 영향을 미치며, 머신러닝 기술이 임상 예측 표준을 개선하고 치료 결과를 향상시키는 데 도움이 될 수 있음을 보여줍니다.

KNN과 SVM 모두 개선된 결과를 도출할 수 있었지만, ADLCAP은 실제 임상 현장에서 여전히 중요한 선별 도구로 사용되고 있으며, 어떤 알고리즘도 이를 완전히 대체할 수 없었습니다. 예측 결과가 신뢰성 있게 검증되었음에도 불구하고, 의료 전문가가 특정 환자에게 나타난 특정 결과의 이유를 설명하는 것은 여전히 어려운 일입니다. 이러한 장애를 극복하기 위해 임상 시나리오에 적용 가능한 KNN 알고리즘의 사고 과정을 설명해볼 수 있습니다. 의료 전문가들은 자신의 경험을 바탕으로 치료 결정을 내리는데, 이는 KNN 알고리즘이 수행하는 과정과 유사합니다. 의사는 과거에 성공적인 치료를 받았던 환자들의 프로필과 유사한 새로운 환자에게 같은 치료 방법을 적용할 가능성이 높습니다. 이는 임상 특성이 유사할수록 좋은 결과를 기대할 수 있기 때문입니다.

KNN 알고리즘은 데이터베이스에 기록된 모든 환자 데이터를 바탕으로 '경험'을 축적한 '슈퍼 전문가'로 간주될 수 있으며, 이 광범위한 '임상 경험'을 활용하여 정보에 근거한 결정을 내릴 수 있습니다. 반면에 SVM은 예측 목적 뿐만 아니라 실행 가능한 과학적 통찰을 도출하는 데에도 사용될 수 있습니다. SVM에서 선택된 지원 벡터는 판단 경계에 매우 가깝거나 반대편에 위치하는 측정값입니다. 이는 판단 경계의 '올바른' 쪽에 위치한 관측값과 구별됩니다.

재활 준비 과정과 재활 가능성을 평가하는 데 있어 '일상 생활 활동' 능력 측정인 ADLCAP(Activities of Daily Living CAP)이 매우 중요합니다. 이 섹션에서는 K-최근접 이웃(KNN)과 서포트 벡터 머신(SVM)이라는 두 가지 다른 종류의 머신 러닝 알고리즘을 ADLCAP과 비교분석해 보겠습니다. 10,000개의 데이터 포인트를 무작위로 선택하여 8개의 CCAC 데이터 세트 각각에 대해 SVM 모델을 구축하였습니다. 이 과정에서 생성된 두 그룹의 서포트 벡터를 조사함으로써 이 접근법의 효과를 입증할 수 있었습니다.

표에서는 이 두 그룹에 속하는 관측값들이 어떻게 분류되었는지, 관련 공변량들이 1로 할당된 비율을 나타냅니다. 이 접근법은 모든 변수를 이진 형식으로 전환한 상태에서 수행되었다는 점을 기억해야 합니다. 특히 H2J(목욕), H7A(기능 개선에 대해 낙관적인 고객), H7C(회복 가능성이 높다고 평가한 고객)는 재활 가능성을 예측하는 데 가장 중요한 변수로 나타났습니다.

SVM은 종종 '블랙박스' 예측 기법으로 인식될 수 있지만, 중요한 치료 및 과학적 통찰을 도출하는 데 유용하게 사용될 수 있다는 것이 입증되었습니다. 이러한 기능은 SVM의 예측 정확도가 높다는 점을 감안할 때, 임상의들이 이 기법을 사용하는 것에 다소 불편함을 느낄 수 있음에도 불구하고 중요한 의미를 갖습니다.

이 섹션에서는 머신 러닝 기술을 단지 예측을 생성하는 도구로 사용하는 것이 아니라, 과학적 결과를 직접 탐색하는 데 적용할 수 있는 방법을 시연합니다. 이는 이전 섹션에서 예측에 중점을 둔 접근과는 대조적입니다. 이제 우리는 재활 서비스 제공 여부를 결정하는 데 있어 고객 상황의 어떤 측면이 가장 중요한지를 파악하는 것을 목표로 하고 있습니다. 이는 임상 의사결정에 중요한 영향을 미치는 요소에 대한 중요한 인사이트를 제공합니다.

앙상블 방법을 통해 사용된 예측 변수를 필터링하는 접근법은 의료정보학 분야에서 구현할 때 큰 잠재력을 보유하고 있으며, 이는 많은 가능성을 보여줍니다. 우리는 변수의 선택 자체가 최종 목표가 아니라 올바르게 변수를 정렬하는 것이 더 적절한 과학적 목표라고 믿습니다. 이는 특정 질병과 관련된 지표를 찾는 데 어려움이 있음을 의미합니다.

이어지는 섹션에서는 의료 전문가들에게 가장 유익한 응답 유형이 무엇인지를 탐구하며, 연구 결과가 어떻게 의사와 공유될 수 있는지에 대해 논의합니다. 앙상블 방법론은 변수 선택 과정에서 중요하게 사용되며, 이는 변수의 순위에 따라 특정 임계값 방법을 적용하는 과정을 포함합니다. 이 접근법은 의사결정 이론에서 모델의 희소성에 대한 사전 가정에 따라 의사결정 기준을 선택하는 데 중점을 둡니다. 결과적으로, 이 전략은 상황의 변화하는 중요성을 고려하는 것이 그 매력 중 하나입니다. 마지막으로, 기존의 머신 러닝 알고리즘을 사용하여 예측과 설명 기능을 모두 수행하는 방법을 소개하며, 이는 '재택 생활' 이니셔티브와 같은 프로그램의 중요성을 강조합니다. 이 프로그램은 노인이 자신의 집에서 독립적으로 생활할 수 있도록 지원함으로써 장기 요양 시설로의 입소를 방지하는 것을 목적으로 합니다.

재택 의료는 노인이 지역사회에서 독립적으로 생활하다가 시설에 입소하는 과정을 관리하는 데 중요한 역할을 합니다. 랜덤 포레스트 기법은 다양한 종류의 의사 결정 트리들로 이루어진 '숲'으로 구성되어, 예측을 할 때 복수의 의사 결정 트리들이 참여하는 방식으로 작동합니다. 각 트리는 데이터 수집 절차를 반복하여 생성되며, 단순히 동일한 데이터를 반복 사용하는 것은 유익하지 않습니다.

랜덤 포레스트는 일반적인 의사 결정 트리를 확장하여, 부트스트랩 샘플링을 통해 데이터에서 다양한 표본을 추출하고, 각 트리에 대해 무작위로 변수를 선택하여 최적의 분할을 찾는 두 가지 무작위 프로세스를 사용합니다. 이는 단순하지만 이해하기 쉽고 방어 가능하며 직관적으로 매력적인 알고리즘을 생성하는 것을 목표로 합니다. MAPLe 알고리즘도 유사하게 정교한 방법을 사용하여 개발되었지만, 목표는 간단하고 이해가능한 결과를 제공하는 것입니다.

연구에 따르면 MAPLe 알고리즘을 사용한 장기요양 입소 우선순위 할당은 때때로 정확한 예측의 정확성을 희생하더라도 달성될 수 있습니다. 이는 MAPLe가 장기요양 시설 배치를 예측하는 데 효과적임에도 불구하고, 다른 머신러닝 기법이 더 우수할 수 있음을 시사합니다.

머신러닝 기술의 강점은 데이터의 복잡한 상호 의존성과 비선형적 관계를 처리할 수 있는 능력에 있습니다. 예를 들어, 조사 결과에 따르면 허약 지수(Frailty Index, FI)가 개인의 나이보다 장기 요양 시설 입소를 결정하는 데 더 중요한 지표로 나타났습니다. FI는 개인의 다양한 건강 결함을 종합적으로 평가하는 지표로서, 허약성

인벤토리는 사망률, 시설 입소 등 다양한 건강 결과를 예측하는 데 신뢰할 수 있는 도구로 입증되었습니다.

랜덤 포레스트 알고리즘은 뛰어난 예측 능력을 제공할 뿐만 아니라, 이와 관련된 요인들에 대한 설명도 가능하게 하여 임상적 및 과학적 통찰력을 제공합니다. 이는 머신러닝 알고리즘이 임상적 의사결정을 지원하고 관련 과학적 인사이트를 제공하는 다양한 방법을 탐색하는 데 도움이 되는 사례들을 통해 보여줍니다.

이러한 접근 방식들은 서비스 제공에 대한 통찰력을 제공하며, 장기적으로 의료 시스템의 지속 가능성을 보장하는 데 기여할 수 있습니다. '집에서 노화를 맞이하기'와 같은 이니셔티브는 노인들이 자신의 집에서 독립적으로 생활하도록 지원함으로써 요양원이나 다른 장기 요양 시설에의 입소 필요성을 줄이는 것을 목표로 합니다. 이는 내부적 재활 서비스의 우선순위를 재정할 때 중요한 고려사항이 됩니다.

이 프로그램은 노인이 자신의 집과 지역사회에서 독립성을 유지하면서 양질의 생활을 누릴 수 있도록 지원함으로써, 장기 요양 시설로의 이전을 필요로 하는 상황을 최소화하는 것을 목표로 합니다.

이러한 접근법은 장기적으로 의료 시스템의 비용을 절감하고, 전체적인 의료 서비스의 질을 향상시키는 데 기여할 수 있습니다.

우리 연구는 장기 요양(LTC) 시설 전반에 걸쳐서 시행될 수 있는 분석을 통해, 노인이 자신의 집에서 보낼 수 있는 시간을 최대화하고, 필요한 경우 시설에 입소하게 될 주요 위험 요인을 파악하는 데 중점을 두었습니다. 이와 같은 연구는 재택 의료 서비스 내에서 각 개인이 직면할 수 있는 위험을 이해하고, 적절한 지원 시스템을 구축하는 데 매우 중요합니다.

이 과정에서 우리는 고급 머신러닝 기술을 활용하여 데이터의 복잡성을 해석하고, LTC 입소와 관련된 다양한 변수간의 상호관계를 분석했습니다. 머신러닝 알고리즘은 데이터에서 패턴을 식별하고, 이를 기반으로 예측 모델을 구축하는 과정에서 큰 도움이 됩니다. 특히, 랜덤 포레스트와 같은 알고리즘은 여러 개의 의사 결정 트리를 포함하여 보다 정확한 결과를 제공할 수 있는 구조를 가지고 있습니다.

연구 결과, 나이와 같은 전통적인 변수 외에도 허약성 지수(Frailty Index, FI) 같은 포괄적인 측정치가 LTC 입소의 주요 위험 요인으로 밝혀졌습니다. FI는 개인의 건강 관련 취약성을 정량화하는 데 사용되며, 다양한 건강 결함을 통합하여 한 가지 지표로 제시합니다. 이는 기존의 진단 방법보다 훨씬 정교한 정보를 제공할 수 있어 의료 전문가들이 보다 정확한 의사 결정을 내릴 수 있도록 돕습니다.

결과적으로, 이 연구는 랜덤 포레스트 알고리즘이 단순히 예측을 수행하는 것을 넘어서, 관련된 요인들에 대한 설명을 제공하고, 이를 통해 임상적 및 과학적 통찰력을 얻을 수 있음을 보여줍니다. 이러한 통찰력은 의료 정책 결정자와 임상 의사가 더 효과적인 의료 전략을 수립하는 데 유용합니다.

머신러닝 기법을 통한 이러한 종합적인 분석은 의료 시스템 내에서 보다 지속 가능한 접근법을 개발하고, 노인 의료 관리의 품질을 향상시키는 데 기여할 것입니다. 이는 노인이 가능한 한 오랫동안 자신의 집에서 독립적이고 질 높은 생활을 유지할 수 있도록 하며, 동시에 장기 요양 시설의 의존도를 감소시키는 데 중점을 둡니다.

머신러닝 알고리즘은 중요하고 새로운 인사이트를 제공하는 데 크게 기여했습니다. 이것이 우리 연구의 중요한 성과 중 하나일 수 있습니다. 이러한 결과는 환자의 치료 계획과 의료 자원 배분을 결정하는 데 있어 보다 정보에 기반한 결정을 내리는 데 사용될 수 있습니다. 이는 개인에게는 더 나은 치료 결과를, 의료 시스템에는 효율적이고 성공적인 운영을 가능하게 할 것입니다.

5.1 머신러닝의 임상적 유용성

기술의 발전과 의료 시스템을 변화시키려는 노력으로 인해 병원 환경에서 전자 의료 기록(EHR)의 사용이 점점 더 보편화되고 있습니다. 선진국의 주요 의료 체계는 상당히 이른 시기부터 이러한 시스템을 도입했으며, 오늘날에도 계속해서 사용하고 있습니다. 특히 전자 의료 기록은 지식을 실시간으로 활용 가능한 치료적 형태로 전환하는 과정을 신속하게 처리하는 데 사용됩니다. 이를 통해 환자는 가능한 최상의 치료를 받을 수 있습니다. 이 장에서는 머신러닝 도구를 이용하여 의료 상황에서 실시간으로 사용할 수 있는 평가 보조 및 평가 도구를 생성하는 방법을 살펴봅니다.

이러한 지원 및 평가 도구는 의료 전문가들이 사용할 것입니다. 전자 의료 기록(EHR)의 접근성은 종이 기록으로는 불가능했던 방식으로 임상 데이터 및 기타 정보의 활용을 허용하는 중요한 새로운 기회를 제공합니다. 전자 의료 기록을 통해 수집된 종단적 임상 치료 데이터는 질병 위험을 예측하고 개별화된 의사 결정을 내리는 데 사용할 수 있습니다. 이 데이터는 또한 환자의 병력을 기록하는 데 사용할 수 있습니다. 머신러닝과 데이터 마이닝 기술의 최근 발전은 이러한 가능성을 더욱 향상시킵니다.

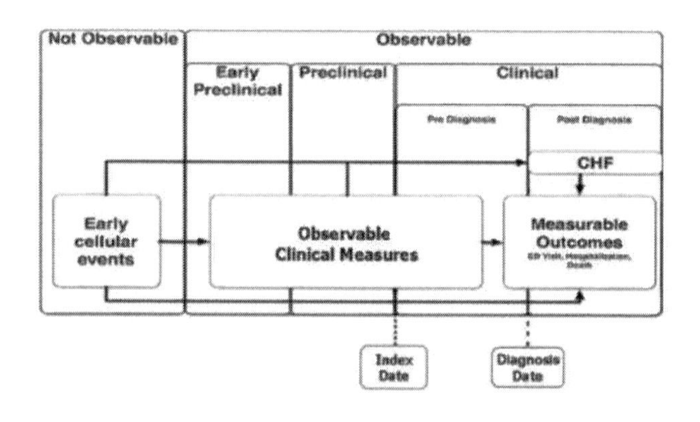

그림 5.2 만성 질환의 진행 과정

초기 무증상 상태에서 전임상 및 후기 단계에 이르기까지 만성 질환의 진행 과정을 관찰할 수 있습니다.

이러한 기술은 전자 의료 기록(EHR)에서 정보를 신속하게 추출하고 이를 임상 의사 결정 지원으로 전환할 수 있는 유망한 방법을 제공합니다. 데이터 마이닝(DM)과 머신러닝(ML)은 다양한 애플리케이션에서 큰 성공을 거두고 있는 빠르게 발전하는 분야입니다. 의료 분야에서 이러한 도구를 사용하여 종단적 환자 데이터에서 인사이트를 추출하고, 이를 기반으로 환자의 치료 경로를 조정하여 최상의 결과를 달성할 수 있습니다.

특히, 만성 질환의 경우 초기 생화학적 및 병리학적 변화가 점진적으로 진행되므로, 이러한 변화를 시기적절하게 파악하는 것이 중요합니다. 전자 의료 기록에서 이러한 변화의 지표를 찾아내고, 암과 같은 점진적으로 발생하는 질병의 발전 과정을 예측할 수 있습니다. 이는 의료 전문가들이 예방적 조치를 취하고, 질병 관리를 더 효과적으로 수행할 수 있게 합니다.

이 맥락에서 예측 모델링의 주요 목표는 질병을 명백한 상태에서 초기 임상 또는 임상 전 단계로 조기 식별하는 것입니다. 이는 질병 감지의 과정을 초기 단계로 앞당겨, 더 적극적이고 효과적인 개입이 가능하도록 함으로써 질병 자체의 정상적인 경과에 영향을 미치려는 목적을 가지고 있습니다. 이 프레임워크 내에서 인구 수준에서 데이터를 수집, 분석하고 이를 통해 사건 발생 전에 정확한 징후를 인식하거나 치료 옵션에 영향을 미칠 수 있습니다.

예를 들어, 심부전과 같은 지속적인 퇴행성 질환에 대해서는 기존 진단 시점보다 1~2년 전에 해당 질환을 발견하는 것이 중요할 수 있습니다. 이는 더 이른 시기에 개입함으로써 질병의 자연적 진행에 영향을 미치는 것을 목표로 하기 때문입니다. 반면에 향후 30일 이내의 재입원 가능성을 예측하는 기간은 며칠에서 몇 주까지 다양할 수 있으며, 일반적으로 예측 기간이 길어질수록 정확도가 더 높아집니다. 이러한 신호를 평가하기 위해 확립된 프로토콜을 개별 환자의 전자 의료 기록 데이터에 실시간으로 적용할 수 있습니다.

이러한 유형의 정량적 접근방식은 일상적인 상호작용 뿐만 아니라 인구 수준에서의 커뮤니티 스크리닝이나 모니터링에 다양하게 활용될 수 있는 잠재력을 가집니다. 본 장에서는 환자가 당뇨병, 치매, 신장 질환, 심부전과 같은 지속적인 퇴행성 질환의 위험에 처해 있는지를 파악하기 위해 데이터 마이닝과 머신러닝 기술을 어떻게 적용할 수 있는지에 대해 중점적으로 설명합니다.

이러한 질환은 의료비 증가의 주요 원인이며, 고령화되는 인구로 인해 이러한 유형의 질환의 유병률은 계속해서 증가하고 있습니다. 이로 인해 의료 서비스 제공에 대한 수요와 비용이 증가하고 있습니다. 메디컬 홈 및 기타 집중적인 케어 모델이 환자 결과를 개선하고 비용을 절감할 수 있다는 증거가 있음에도 불구하고, 쇠약한 질환의 본성상 성공적인 치료 옵션이 제한적일 수 있습니다. 따라서 질병 조기 발견 및 비용 효과적인 개입 방법 개발은 이와 같은 질병의 진행을 막는 데 사용될 수 있는 대안적인 전략입니다.

이 접근법의 최종 목표는 새로운 질병의 발생 속도를 늦추는 것입니다. 이는 진단 테스트와 치료가 비용 효율적이며 내재된 위험이 없을뿐더러, 충분히 조기에 시작되면 질병의 경과를 근본적으로 바꿀 수 있을 정도로 효과적일 때 특히 유효합니다. 이러한 맥락에서 종단적 EHR 데이터를 사용하여 정교한 데이터 마이닝 및 머신러닝 도구를 활용, 환자 데이터에서 질병의 초기 신호를 찾아내어 의료에서 활용할 수 있습니다.

미국에서는 허혈성 심장 질환이 최근 수십 년간 주요 사망 원인 중 하나로 꼽히고 있습니다. 지난 60년 동안 심장마비로 인한 사망률이 크게 감소했으며, 이는 고혈압, 고지혈증, 니코틴 제품의 사용, 영양 관리와 같은 위험 요인을 정기적으로 모니터링하고 다양한 치료 방법을 성공적으로 활용한 결과입니다.

심부전(HF)은 여러 가지 유형이 있으며, 가장 흔한 두 가지 유형인

이완기 및 수축기 심부전은 전체 심부전 사례의 약 80~85%를 차지합니다. 이러한 질병의 초기 단계는 발견하기 어렵기 때문에 진단이 늦어지는 경우가 흔합니다. 흔한 증상으로는 운동 중 숨가쁨이나 발목 부종이 있지만, 이러한 증상은 비특이적이어서 컨디션 저하, 과체중, 오래 서 있기, 정맥 기능 부전, 특정 약물 복용 등 다른 여러 요인으로 인해 발생할 수 있습니다. 덜 흔한 증상으로는 다리 통증 등이 있는데, 이 또한 과체중이나 컨디션 저하와 같은 요인으로 설명될 수 있습니다.

일반적으로, 질병의 초기 단계는 무시되는 경향이 있으며, 질병이 더 진행된 단계에서야 다양한 증상이 동시에 나타나면서 비로소 인지되곤 합니다. 예를 들어, 운동 시 호흡곤란, 두근거림, 흉막 삼출 등이 그러한 증상입니다. 또한 박출률이 50% 미만인 경우와 같이 질병이 구체적으로 확인되면 질병을 더 일찍 인지할 수 있습니다. 심부전은 일반적으로 일반 진료 중 처음 발견되나, 질병이 진행되어 환자의 상태가 심각하게 악화된 후에도 발견되는 경우가 많습니다. 특히 이완기 심부전의 조기 발견은 중요한데, 저비용의 비침습적 중재가 질병의 진행을 예방하는 데 성공할 수 있다는 증거가 늘어나고 있기 때문입니다.

이전에 선별 설문지를 통한 조기 진단 시도는 실패로 돌아간 바 있습니다. 저희 팀은 종단적 환자 데이터를 데이터 마이닝 및 머신러닝 도구와 결합하여, 가까운 장래에 심부전 발병 위험이 높은 환자를 식별하는 방법에 대해 조사를 시작했습니다. 이어서 예측 모델링에 전자 의료 기록(EHR) 데이터를 활용할 때 발생할 수 있는 문제들을 살펴보고, 그 후 정형 및 비정형 데이터의 활용 고려사항을 논의할 예정입니다. 다양한 모델링 기법에 대한 논의를 마친 후, 이러한 기법들이 치료 환경에서 어떻게 구현될 수 있는지에 대한 분석으로 마무리할 것입니다.

5.2 예측 모델링을 위한 EHR 데이터 활용

환자의 전자 건강 기록(EHR)에 포함된 정보는 제조업체, 치료 환경(일반 치료 또는 전문 치료), 조직 및 기간에 따라 여러 버전으로 나타날 수 있습니다. 본 섹션에서는 EHR 데이터의 이러한 특정 측면에 초점을 맞추기보다는, 일반적으로 EHR을 통해 접근할 수 있는 다양한 종류의 데이터와 이 데이터를 예측 모델링에 활용하는 다양한 방법에 대해 집중적으로 다룰 것입니다. EHR 데이터의 구조화된 부분과 비정형 부분의 특성에 대한 논의를 진행할 계획입니다.

일차 진료 집단은 일반 인구에서 추출된 표본과 유사하지만, 전통적인 역학 연구에서 데이터를 수집하는 방식과는 다릅니다. 이는 일차 진료 인구가 일반 인구보다 작을 수 있기 때문입니다. 대부분의 경우, 역학자들은 인과 관계를 더 잘 이해하기 위해 인구에 대한 종단 연구를 시작합니다. 첫 번째 단계는 연구 대상 인구를 대표할 수 있는 개인 그룹을 식별하고 모집하는 것입니다. 참여가 완전히 무작위적으로 선택되지 않는 현실적인 상황은 참여자 선정에 초기 편향을 초래할 수 있습니다. 이 편향은 의도하지 않은 결과를 초래할 가능성이 있습니다.

일반적으로 연구에 참여하는 응답자의 수는 시간이 지남에 따라 감소하고, 계속 참여하는 응답자들은 원래 모집단을 대표하는 비율이 점점 줄어듭니다. 반면, 참가자의 최종 상태는 빈번한 추적 조사와 다른 방법들을 통해서도 확인될 수 있습니다. 전자 건강 기록 데이터는 각 개인에게 수행된 치료 유형에 따라 구분되며, 이는 일차 진료 모집단에서 가져옵니다.

이 연구는 "1차 진료 집단 종단 연구"로 명명됩니다. 통계적 부재와 선택적 편향성이라는 두 가지 특성을 비교할 때, 이 두 요소가 서로 다소 다르다는 것을 인지하는 것이 중요합니다. 치료적 치료의 경우, 환자가 치료를 요청한 여부에 따라 환자 정보를 파악하기 위해 예측 모델을 개발합니다. 이 모델은 환자의 상태를 추론하는 데 사용됩니다. 즉, 예측 모델은 개발 초기에 확보된 것과 동일한 유형의 개별 종단 데이터에 적용될 수 있도록 설계됩니다. 이는 모델의 정확성을 극대화하기 위해 수행됩니다.

이 과정은 모델이 현실을 최대한 사실적으로 반영할 수 있도록 하기 위함입니다. 결과적으로, 선택 편향에 대한 해석은 해석하기가 더 어려워지며, 다양한 요인에 따라 달라질 수 있습니다. 환자는 자동으로 종단 추적 조사 대상으로 지정되는 것이 아니라, 자신이 선택한 의료 제공자에게 진료를 요청합니다. 환자 등록 및 참여의 첫 단계는 환자가 1차 의료기관이나 선택한 주치의(PCP)에 첫 예약을 하는 것입니다. 두 번째로, 환자의 현재 건강 상태와 의료 서비스 요청은 환자의 행동과 의료진과의 상호작용 빈도와 관련이 있습니다.

전통적인 관찰 연구 방법과는 달리, 환자의 상호작용을 통해 환자 정보를 얻을 가능성이 있습니다. 일반적인 진료 환경에서는 "데이터 수집"이라는 프로세스에 사전에 정해진 일정이 없습니다. 따라서 환자가 진료를 예약할 때 데이터 수집이 이루어집니다. 환자의 체중,

혈압, 심박수, 체온과 같은 일상적으로 수집되는 데이터도 있지만, 대부분의 데이터는 환자가 진료를 예약한 이유와 관련 있습니다. 이 상담은 연례 검진, 긴급한 건강상의 문제, 심각한 통증 등 다양한 이유로 인해 발생할 수 있습니다.

일상적으로 얻을 수 있는 변수들(예: 인구통계학적 데이터, 혈압, 분당 심박수, 체중, 성별)은 제한적입니다. 이러한 요인에는 나이, 성별, 혈압, 심박수, 체중, 성적 취향 등이 포함됩니다. 다른 대부분의 측정값은 환자가 의료 서비스를 이용하는 특정 경향(예: 정기적인 건강 검진 예약)에 크게 영향을 받으며, 더 중요한 것은 환자가 경험하는 건강 문제의 유형에 따라 달라집니다. EHR 데이터를 조합하는 고유한 절차의 특성 때문에 '결측치' 구조는 데이터를 모델에 어떻게 반영할지 식별하는 데 유용합니다.

이는 각 프로세스가 고유하며, 특정 환자 그룹이 특정 정보에 접근하지 못할 수도 있기 때문입니다. 기존의 역학 연구는 체계적인 방식으로 데이터를 수집하는 반면, EHR 데이터는 종종 임시적인 방식으로 수집되므로 특정 환자에 대한 변수(예: 특정 질병의 진단)의 정확한 값을 알기 어려울 수 있습니다. EHR에 기록된 정보는 환자의 미래 상태에 대한 데이터를 포함할 수 있으며, 이는 실제 값에 추가적인 정보를 제공합니다. 특정 변수의 경우, 기본 문서화만으로도 충분하며, 이 정보는 0 또는 1의 이진 지표로 표현될 수 있습니다.

이러한 표현은 일반적으로 환자의 건강 상태를 의사가 인지할 때 가장 중요해집니다. 건강 관련 측정 대부분은 일관된 기준에 따라 설정되지 않습니다. '누락된 정보'를 다루는 간단한 방법은 측정 가능성을 나타내는 0/1 이진 변수로 변수를 표현하는 것입니다. 이 이진 변수와 실제 변수 값 사이에는 상호 작용 항을 사용하여 구분할 수 있으며, 이를 통해 하나 이상의 값을 가진 개인을 구별할 수 있습니다.

이와 같은 변수 표현 방식을 사용할 때, 모든 참여자에 대해 '관찰되었다'고 간주하며, 변수가 적절히 측정되지 않은 경우 0이라는 값이 할당됩니다. 이는 해당 표현이 변수 측정이 이루어지지 않았을 가능성을 마치 측정이 이루어진 것처럼 다루기 때문입니다. 특정 주제와 관련하여, 관심 있는 다양한 변수들을 정기적으로 모니터링할 수 있으며, 일반적인 질병 지표(예: LDL콜레스테롤, 혈압) 등을 반복적으로 측정할 수 있습니다. 개인별로 총 반복 관찰 횟수에는 상당한 차이가 있습니다. 또한, 관찰 빈도가 건강 상태와 관련이 있음이 입증되었습니다.

중심 경향과 변동성의 측정은 반복 측정된 값의 특성을 파악하는 데 사용할 수 있지만, 이러한 종합적인 측정값만으로는 미래 상황을 예측하기에 부족할 수 있습니다. 관찰 기간 동안 가장 최근에 이루어진 측정값이 중요하다고 간주될 수 있지만, 이전에 이루어진 측정값도 예측의 정확도에 기여할 수 있습니다. 예를 들어, 고혈압이나 혈압 상승의 첫 기록은 질병의 시작을 나타낼 수 있습니다. 그러나 이 과정의 효과는 시간이 지나면서 환자의 혈관 실제 수축기 및 이완기 압력 변화에 따라 달라질 수 있습니다.

혈압의 변동은 질병 발병에 다양한 영향을 미칠 수 있으며, 제시된 그림은 그 중 하나에 불과합니다. 혈압의 시간적 변화는 임상적으로 인정된 기준치(예: 이완기 80mmHg)를 초과하거나 미달하는 기간으로 설명될 수 있습니다. 이 기준치는 일반적으로 혈압이 지속적으로 기준치를 초과하거나 미달하는 총 시간의 비율로 나타냅니다. 결론적으로, 특히 시간에 따라 변동성이 증가하는 경우, 질병 매개체의 반복 측정에서 나타나는 시간적 분산은 휴면 상태의 불안정성이나 변화를 예측하는 데 유용한 지표가 될 수 있습니다. 변동성 증가는 예측 불가능성을 증가시키는 경향이 있습니다.

5.3 구조화된 데이터의 관련 기능

사용 가능한 지면의 제약으로 인해 다양한 유형의 EHR 변수를 활용하는 방법에 대해 심층적으로 설명하는 것은 불가능합니다. 그러나 일반적으로 사용 가능한 몇 가지 특정 측정값을 살펴보겠습니다. 예를 들어, 환자의 생년월일, 인종 또는 국적, 성별은 일반적으로 모든 환자에 대해 고정된 필드로 제공됩니다. 또한, 담배와 술 사용 여부는 질병 발병 가능성을 예측하는 데 중요한 요인입니다. 이러한 정보는 EHR에서 항상 기록되지는 않지만, 의도적으로 사용되어 점차 일반화될 것입니다.

한편, 음주 및 흡연과 같은 건강 관련 행동 정보의 수집은 국가별로 표준화된 방식이 존재하지 않습니다. 건강 행동 데이터의 특수성과 다양성이 상당히 높을 가능성이 크며, 이 데이터는 다양한 형태로 표현될 수 있습니다. 예를 들어, 환자의 흡연 상태는 "현재 흡연자", "현재 흡연하지 않음", "담배를 사용한 적 없음" 등 간단하고 일반적인 형태로 기록될 수 있습니다.

환자의 상태 기록을 활용함으로써, 여러 번의 측정을 통해 시간에 따른 노출을 분석할 수 있게 됩니다. 이는 반복적인 관찰을 통해 가능합니다. 그러나 개인의 음주 및 흡연 행동에 대한 기록은 존재하지 않거나 "요청하지 않음"으로 분류될 수 있습니다. 이 경우, 측정값을 "누락됨"으로 분류하거나 대체 방법으로 "비흡연자 및 비음주자"로 분류하는 것이 적절합니다. 이는 측정값에 접근할 수 없는 경우 측정값을 처리하는 방법으로 권장됩니다. 이 통계적 방법을 통해 데이터 부재에 관한 가정(예: 질문이 비활성 상태를 의미하는지)의 진위를 검증할 수 있습니다.

타임스탬프가 기록된 고정 필드 순서는 전자 건강 기록(EHR)에 있는 여러 식별자 유형 중 하나로, 처방약을 지시하는 데 사용됩니다. 각 처방약은 하루 필요량을 계산하거나 대략적으로 평가하는 정보를 포함하고 있습니다. 처방의 활성 기간을 결정하기 위해, 주문 간격을 분석할 수 있습니다. 거래 간 경과 시간은 처방전을 조제할 수 있는 기간의 주요 결정 요인으로 작용합니다.

일일 복용량에 따라 약품 공급 일수를 계산하여 사용 가능한 총 약품량을 결정할 수 있습니다. 일반적인 일일 복용량을 알아보려면 전체 수량을 총 기간으로 나눈 후 그 결과에 365를 곱합니다. 특정 처방의 유지 수준을 아는 것은 전체 일일 공급량을 총 시간으로 나눔으로써 가능합니다. 이를 통해 약을 복용한 총 일수인 의약품 소지 비율(Medication Possession Ratio, MPR)을 파악할 수 있습니다. 환자의 처방 일정에 따라 일관된 기준에 맞춰 조정됩니다.

약품 변경, 즉 한 약물의 사용을 중단하고 다른 약물로 전환하는 것과 새로운 약물을 처방 목록에 추가하는 것을 구분하는 것이 중요합니다. 약물 변경은 현재 치료법에 새로운 약물을 추가하는 것을 포함합니다. 주의할 점은 처방전과 관련된 환자의 실제 행동이 EHR 데이터에 항상 나타나지 않는다는 것입니다. 이와 관련된 환자 활동의 예로는 처방전의 수령 및 복용이 있습니다. 환자가 처방을 성공적으로 수령했는지 확인하기 위해서는 보험 기록에서 관련 데이터를 확보해야 합니다.

전국적으로 의료진의 EHR 시스템에 청구결정 데이터를 복원하기 위한 노력이 지속되고 있습니다. 이는 의약품에 대한 약속이 기록되지 않은 경우에도 의약품 적용에 대한 의료진의 책임을 물을 수 있음을 의미합니다. 예를 들어, 의료진이 제2형 당뇨병과 같은 질병에 대해 시간이 지남에 따라 일련의 약물 주문을 업로드하면 환자가 이전 주문에서 처방된 약을 이미 사용하고 있을 가능성이 높습니다. 시간이 지날수록 약을 복용하지 않을 가능성이 감소합니다. 의약품 구매와 관련된 상호 작용 데이터를 활용하기 위해 고려해야 할 변수들을 파악하는 것이 중요합니다.

처방전 취득 마감기한에 대한 정보가 부족한 경우, 동일한 건강 문제에 대한 후속 주문 날짜나 마지막 주문의 공급 일수를 추론해야 합니다. 처방약의 투약일수는 처방 당시 의사가 처방서에 기입하는 일일 권장 섭취량에 따라 계산할 수 있습니다. 의약품 성분표에 대한 자세한 정보가 없기 때문에, 이를 일일 섭취할 정제 수로 변환하는 것은 어려운 작업입니다. 그러나 처방은 일반적으로 정해진 기간 동안 유효하며, 특정 상황에서는 일반적으로 월 단위로 공급됩니다. 클래스 또는 하위 범주에 속하는 다른 약물과의 상호 작용을 확인하는 것은 표준 절차입니다.

임상시험의 목표에 따라, 임상시험 진행 중 처방 변경 여부 또는 새로운 약물의 도입이 결정됩니다. 예를 들어, '전환'의 정의는 주요 관심사가 변경에 초점을 맞추고 있는지 여부에 따라 달라질 수 있습니다.

한 약물 하위 분류에서 다른 하위 분류로의 약물 교체(예: 칼슘 채널 차단제에서 ACE 억제제로의 전환) 또는 동일 하위 분류 내 약물 간 전환(예: 하나의 칼슘 채널 차단제에서 다른 칼슘 채널 차단제로) 등이 선택의 대상이 될 수 있습니다. 약물 변경이 새로운 약물 주문인지, 아니면 기존 치료에 추가하는 것인지는 이전 약물의 만료일 이전에 결정됩니다.

이러한 결정은 임상 평가(해당 의약품 조합이 표준 치료인지 여부) 및 재주문 요청을 통해 확인될 수 있습니다. 새 약물을 기존 약물과 함께 재주문하는 상황에서는 약물 변동 가능성이 적으며, 각 정제에 포함된 용량에 하루 복용 정제 수를 곱하여 총 복용량을 계산할 수 있습니다. 시간이 경과함에 따라 환자가 처방된 약을 계속 복용할 가능성은 높아집니다.

다양한 대체 약물을 통해 일일 권장 복용량을 달성할 수 있습니다; 예를 들어 하루에 두 번 400mg을 복용하는 것은 하루에 네 번 200mg을 복용하는 것과 유사할 수 있습니다. 이런 유형의 약물 변수는 주문 범위를 설정하는데 사용될 수 있으며, 기존의 주문 범위를 서로 연결해 실제 약물 사용 시간 간격을 명확히 할 수 있습니다. 보험의 적용 가능한 최대 기간을 고려하여 특정 시점의 커버리지를 계획할 수 있습니다(예: 90일 분량의 약을 제공받고 100일 후에 새 주문이 이루어지는 경우).

약물 사용에 관해서는 환자가 사용 중이라고 신고한 약물이나 환자가 실제로 사용하고 있는 약물이 의료 제공자나 간호사에 의해 의료 상황에서 확인되는 활성 약물 목록에 기록됩니다. 활성 약물 목록은 의료 제공자가 환자 치료에 사용하는 약물을 추적하는 데 사용됩니다. 목록을 유지하는 한 가지 장점은 주치의가 권장하지 않는 중요한 약물을 찾는 과정에서 환자의 유리함을 증가시키는 것입니다; 여기에는 의사의 처방 없이 구입할 수 있는 이부프로펜과 같은 일반 의약품 사용이 포함될 수 있습니다.

이 목록과 관련하여 단점은 환자로부터 이 데이터를 수집하는 구체적인 가이드라인이 없다는 것과 데이터의 신뢰성 및 정확성이 아직 확립되지 않았다는 것입니다. 또한 환자가 특정 질병을 앓고 있다는 것을 입증하는 문서는 환자가 그 질병을 치료하기 위해 택한 방법에 따라 달라질 수 있으며, 모든 중증 질병이 환자의 전자 건강 기록에 문서화될 가능성이 매우 높습니다. 질병이 발병하고 나서 진단을 받기까지의 기간은 환자마다 다르며, 대다수의 2형 당뇨병 환자가 결국 의사의 진단을 받게 됩니다.

이는 질병의 발병 후 진단까지의 기간이 사람마다 다르다는 것과 유사합니다. 예를 들어 우울증과 같은 다른 범주의 건강 문제의 경우, 질병의 심각성이 진단 가능성에 영향을 미치게 됩니다. 모든 문서가 정확한지 확인하는 것 외에, 환자가 특정 질병을 앓고 있는지 여부를 확인하기 위해 처방된 조건을 설정해야 합니다. 대부분의 경우, 질병 분류 시스템은 관련 임상 조치와 함께, 제한된 기간 내에 특정 ICD-9 코드가 반복적으로 문서화되도록 요구합니다.

대부분의 경우, 의약품 주문과 함께 ICD-9 코드를 포함하여 문제 보고서를 작성하면 중요한 정보를 얻을 수 있습니다. 그러나 사진 구매와 연결된 ICD-9 코드는 전혀 관련이 없을 수도 있습니다. 이는 해당 코드가 단순히 거래를 완료하기 위한 절차적인 요구일 수 있기 때문입니다. 운영 기준에서 ICD-9 코드를 참조하는 빈도에 따라 해당 기준의 민감도와 구체성이 결정됩니다. 참조 횟수가 적은 운영 기준은 민감도가 높으며, 반대로 참조 횟수가 많은 경우는 구체성이 높습니다.

다양한 조직 표준을 결정하는 데 중요한 요소는 특정 질병의 치료에 드는 시간입니다. 이 시간은 심부전과 같은 추가 질환의 발생 확률을 결정하는 데 중요할 수 있습니다. 전자 건강 기록(EHR)에 질병이 처음 기록된 시점은 필수적으로 질병을 처음 인지한 시점과 같지 않을 수 있습니다. 초기 진료 후 경과 시간과 질병의 첫 문서화 시점을 구분하는 것이 필요합니다.

단기간 내(예: 6개월 미만)에 새로운 주치의에 의해 진단이 확인된 경우, 이는 환자가 그 이전에 이미 질병을 알고 있었을 가능성을 시사합니다. 이는 환자가 새로운 주치의와 첫 진료를 받기 전에 이미 질병이 확인된 경우입니다. 활력 징후는 대개 외래 진료 중에 수집되므로, 이러한 측정은 일관되게 문서화되는 경향이 있습니다. 주요 지표로는 동맥 및 이완기 혈압, 맥박수, 체온, 키, 몸무게 등이 있습니다.

성인의 키 측정은 때때로 신뢰할 수 없을 수 있으며, 측정 방법에 따라 결과가 달라질 수 있습니다(예: 신발 착용 여부). 체질량 지수를 계산할 때는 중앙값 키를 사용하는 것이 가장 합리적일 수 있습니다. 실험실에서의 관찰 결과는 순차적으로 제시되며, 일반적으로 결과의 개요가 제공됩니다. 예를 들어 콜레스테롤 프로필 검사는 기존 치료의 일부로 수행될 수 있습니다.

특정 질병에 대한 추가 연구, 예를 들어 당뇨병 평가를 위해 A1c 검사를 수행할 필요가 있습니다. 질병 진단과 관리 사이의 경과 시간은 검사 시점에 따라 달라질 수 있습니다. 지질 수준 검사는 보통 건강한 젊은 사람들에게는 5년에 한 번, 고 콜레스테롤 환자에게는 6개월에서 12개월에 한 번 시행됩니다. 장기 입원 환자의 경우, 며칠 간격으로 여러 차례 동일하거나 유사한 치료를 받을 수 있습니다. 콜레스테롤 검사 결과는 정량 가능한 수치로, 또는 긍정적 혹은 부정적이라는 문자 결과로 제공될 수 있으며, 두 형태의 결과가 결합될 가능성도 있습니다(eGFR은 숫자로 표시되지만 적절한 경우 특정 그룹으로 분류될 수 있습니다).

높은 중성지방 수치의 경우, 검사 결과는 정량적 데이터를 제공할 수도 있고, 경우에 따라 중요한 문자 정보를 제공할 수도 있습니다. 실험실 유형에 관계없이, 대체로 특정 검사와 관련된 주요 정보는 결과 번호와 검사 날짜입니다. 전자 건강 기록의 데이터는 구조화된 정보와 비구조화된 정보를 모두 포함하며, 의사의 메모나 진단 결과와 같은 텍스트 형식의 정보는 후자의 예입니다. 환자의 개인 정보 및 의료 기록과 같은 정보는 구조화된 정보에 해당합니다. 이러한 텍스트 정보는 전자 건강 기록에서 가장 큰 비중을 차지합니다.

의료진이 환자와의 다양한 상호 작용을 문서화한 메모도 이 텍스트 정보에 포함되며, 이는 '진료 예약', '케이스 관리', '방사선과' 같은 범주로 분류됩니다. 의료 실무자들은 문서의 내용을 특성화하기 위해 일반적으로 SOAP (주관적, 객관적, 평가 및 계획) 프레임워크를 따르는 표준화된 세그먼트 제목 목록을 사용합니다. 이 노트에는 '검토', '소개', '의견' 같은 다양한 타이틀이 붙은 섹션이 포함됩니다.

이 노트들은 일반적으로 구조화된 데이터에서 접근하기 어려운 적응증과 증상에 대한 보다 포괄적인 설명을 포함하고 있어, 예측 모델링에 매우 유용할 수 있습니다. 예를 들어, 진행성 노트를 통해 징후와 증상의 빈도와 그 해결 맥락을 파악할 수 있습니다, 이로 인해 환자의 상태를 보다 정확하게 진단할 수 있습니다. 텍스트가 프레이밍햄 징후와 증상을 다루고 있을 때 이는 특히 중요합니다. 구체적으로 텍스트는 증상의 존재 여부, 폭력적인지 또는 지속적인지 여부 등을 나타낼 수 있으며, 심부전이나 다른 질병과의 일치 여부와 같은 다양한 중요한 특징들을 포함할 수 있습니다.

5.4 심부전 조기 발견

이 섹션에서는 심부전 예측 모델링과 관련된 특정 사례를 제시합니다. 초기에는 구조화된 데이터를 사용한 예측 모델링 과정에 대해 설명합니다. 이어서 결과를 분석하고, 텍스트 마이닝을 통해 개발된 변수로 모델을 지속적으로 개선하는 과정을 설명합니다. 가이징거 센터(Geisinger Center)의 전자 건강 기록(EHR) 시스템은 심부전 조기 발견 과정에 사용된 데이터의 주요 저장소 역할을 했습니다. 이 센터는 펜실베니아 주 중부 및 북동부 지역에서 종합병원 서비스를 제공합니다.

환자는 센터 내 41개 외래 환자 클리닉 중 어느 곳에서나 일반 진료를 받을 수 있습니다, 각 클리닉은 다양한 의료 서비스를 제공합니다. 방문하는 환자들은 일반적으로 주변 지역 인구와 유사한 연령, 성별, 인종적 배경을 가지고 있습니다. 2001년부터 가이징거 센터는 EpicCare EHR을 사용하여 모든 클리닉 기반 작업과 행정적 및 임상 데이터 저장 및 교환에 활용하고 있습니다. 또한, EpicCare EHR은 환자의 예약, 입원, 재정 및 임상 결과 추적의 주요 수단입니다. 1993년 이후 검사실 서비스는 단일 회사가 전담하고 있습니다.

심부전 진단은 처방, 문제 목록, 방문 사유 등이 일치할 때 환자의 전자 건강 기록에 처음으로 기록됩니다. 이 연구는 잠재적 유행성 사례를 제외하기 위해 최소 1년 이상의 진료 기록이 없는 환자를 대상으로 했습니다. 본 그룹은 HF 조건에 부합하는 100명의 개인을 무작위로 선정하여 차트 검토를 성공적으로 완료했습니다. 임상 검토는 두 명의 연구원에 의해 독립적으로 이루어졌으며, 각 연구원은 심부전과 관련된 프레이밍햄 기준을 기록했습니다. 프레이밍햄 기준에 따라, 100건 중 86건에서 기준이 충족되었으며, 나머지 14건 중 2건은 어떠한 기준도 충족하지 못했습니다.

이 연구의 목적을 위해, 모든 참가자는 진단 받은 시기와 진단이 내려진 시점이 상호 일치해야 했으며, 참가자가 가이징거 센터를 처음 방문한 시점은 진단일로부터 최소 2년 전이어야 했습니다. 이는 충분한 과거 데이터를 확보하여 예측 모델을 작동시키는 데 필요한 조치였습니다. 연구가 진행되는 동안 총 536건의 독특한 HF 사례를 발견했습니다.

환자에 대한 적절한 대조군은 해당 환자와 연령, 성별, 지역에서 일치하는 최대 10명까지 선정되었습니다. 2006년 12월 31일 이전에 심부전 진단을 받지 않은 환자가 연구에 포함되었습니다. 본 연구는 잠재적 사례와 연관되지 않은 보조 치료를 받는 환자는 제외하고 진행되었습니다. 가능한 모든 대조 조합을 선택했으며, 대부분의 경우 9~10개의 조건을 충족하는 사례를 성공적으로 식별했습니다.

5.5 특징 생성 및 결측치 처리

이 연구의 핵심 목표는 공식적인 심부전 진단을 받기 몇 개월 전부터 심부전을 식별하는 것이었습니다. 그래서 진단 날짜로부터 6개월 전을 기준 날짜로 설정하여 모델링을 수행했습니다. 대조군 역시 이와 동일한 기준 날짜를 적용받았습니다. 예측 모델링 시에는 인덱스 날짜 이전에 발생한 EHR 데이터만을 사용하여 가능한 한 정확한 모델을 구축했습니다. 이 과정에서, 다양한 범주에서 변수를 선택했습니다.

인덱스 날짜 이전에 나타난 가장 최근의 데이터를 선택하는 방법은 시간에 따라 변하는 변수를 계산하는 데 일반적으로 사용되었습니다. 대부분의 변수는 동반 질환, 징후 및 증상의 지속성과 같은 하나 이상의 특성을 포함하여 사용되었습니다. 심장 관련 측정값, 예를 들어 맥박 압력 및 확장 비율 등이 추가 예시입니다.

모든 의료 상담 기록에서 혈압 측정값은 이미 기록된 데이터를 활용하여 분석되었습니다. 또한, 심부전 진단 이전 6개월 간 의료 서비스 이용률을 반영하기 위해, 이 기간 동안 의사 방문이 한 번이라도 있었는지를 확인하는 변수를 개발했습니다.

의료 절차의 수행 여부, 예를 들어 초음파 검사가 진행되었는지 여부는 중요한 지표가 될 수 있습니다. 전반적인 예후 예측 모델은 이용 가능한 모든 정보를 고려하여 구축해야 하지만, 가상의 실험실 결과는 현실적인 의미가 없습니다. 따라서, 테스트의 구매 여부와 결과를 나타내는 기능을 모델에 추가했습니다. 이는 절차를 수행한 결과와 주문 지표를 모두 포함하는 방식으로 이루어졌습니다.

예를 들어, '헤모글로빈 A1c가 주문되었다는 지표'와 같은 상태는 실제로 헤모글로빈 A1c 값과 해당 지표 변수를 활용하여 계산됩니다. 이러한 변수는 늘 관측되는데, 테스트가 진행되지 않은 경우 상호 작용 수치는 항상 0에 가깝기 때문입니다.

분석에 사용된 기계 학습 방법론은 로지스틱 회귀, 서포트 벡터 머신(SVM), 그리고 부스팅이었습니다. 로지스틱 회귀는 다수의 독립 변수를 기반으로 이진 결과를 예측하는 검증된 기법을 제공합니다. SVM은 원본 데이터 변수 공간을 '특징 공간'으로 변환하는 고차원 공간에서 선형 분류 경계를 찾습니다. 부스팅은 여러 약한 분류기의 결과를 결합하여 더 정확하고 신뢰할 수 있는 결과를 도출하는 앙상블 기법입니다. 각 반복 후 잘못 분류된 경우에 가중치를 조절하여 이루어집니다.

모델의 성능을 평가할 때 10-교차 검증을 통한 AUC(Area Under the Curve) 값이 사용되었습니다. 로지스틱 회귀와 부스팅은 각각 AUC 0.75, 0.77을 기록했으며, SVM은 0.65의 AUC를 기록하며 상대적으로 낮은 성능을 보였습니다. 이 결과는 이러한 모델이 실제 환경에서 얼마나 잘 작동할 수 있는지를 보여줍니다.

이 연구는 데이터 반복 횟수를 증가함으로써 달성되었습니다. 데이터의 10가지 범주와 각 접근 방식에서 일관된 방식으로 선택된 특성으로는 심방세동(atrial fibrillation) 진단 여부, 과거 이뇨제(prescription of diuretics) 처방 여부, 호흡기 질환(respiratory diseases) 비율 등이 있습니다. 이러한 결과는 어느 정도 낙관적인 근거를 제공하지만, 여전히 잘못된 예측의 가능성이 남아 있습니다. 구조화되지 않은 카테고리에 저장되지 않은 정보를 포함함으로써 모델의 성능을 향상시킬 수 있습니다. 이에 따라 현재 의료 문서에서 중요한 정보를 추출하기 위한 최첨단 텍스트 추출 기법을 활용하는 연구가 진행 중입니다.

다음으로, 이 연구 과정의 노동 집약적 측면에 대해 논의할 것입니다. 시스템 평가 시점에 저희 팀은 무작위로 선정된 5개 항목을 기반으로 총 784개의 텍스트 파일을 생성하여 분석하였습니다. 결과적으로 703개의 유의미한 특징을 포함하는 파일이 생성되었습니다. 이 분석 과정에서 특징의 예측 가치가 두드러졌습니다. 한 심장 전문의는 생성된 특징 파일을 검토하였고, 프레이밍햄(Framingham) 기준에 따라 각 특징이 '정확한지' 혹은 '부정확한지'를 서면으로 기록된 참조 자료 및 각 특징의 문맥을 사용하여 평가하였습니다. 이 종합적인 연구 결과로, 93%의 특징이 실제로 '정확함'으로 확인되었습니다.

그 후, 관련된 모든 문서를 검토하고 처리하였습니다. 단, 평균적으로 사례 당 특징의 수는 대조군의 거의 2배에 달했으며, 거부된 특징의 비율은 사례 중 9%에 불과했습니다. 승인된 특징 대비 거부된 특징의 비율은 대조군에서 훨씬 높았으며, 이 비율은 사례 대비 대조군에서 두 배 이상 높았습니다. 심부전(Heart Failure, HF) 예측 모델링을 위한 다른 확장 방안으로는 시간적 시퀀스를 활용할 수 있는 기능이 있습니다. 이 기능은 다양한 방식으로 활용될 수 있습니다. 구체적으로, 저희는 시간에 따라 중요한 사건들의 연속성이 있는지를 파악하는데 관심이 있습니다.

이를 위해, 시간적 데이터 마이닝을 통해 종단 적 변수에서 다양한 연속 패턴을 추출할 것입니다. 이러한 패턴은 분석의 특징으로 활용될 것입니다. 이러한 노력은 환자 집단 내부 및 그룹 간에 발생하는 종단적 사건들의 연속 패턴을 식별할 수 있는 알고리즘을 개발하고 구현하는 데 기초합니다. 이렇게 발견된 패턴은 추가적인 특징으로서 모델에 포함되어, 시간적 특성의 예측 가능성을 평가하는 데 활용될 것입니다.

본 연구는 반복 횟수를 늘림으로써 시간적 특성이 미래를 예측하는 데 어느 정도의 잠재력을 가지고 있는지를 평가하기 위해 설계되었습니다. 이 평가 과정을 통해 개발된 시간적 특성이 미래 예측에 정확하게 기여할 수 있는지 여부를 결정할 수 있었습니다.

임상 치료에 적용 가능한 예측 모델을 구현하기 위해서는, 어떤 시점에서든 적응성이 뛰어나고 통합성이 강하며 기존 전자 건강 기록(Electronic Health Records, EHR) 시스템과도 호환될 수 있는 솔루션을 도입해야 합니다. 일반적으로 이 과정은 모델 구축과 모델 평가라는 두 가지 주요 단계로 나뉩니다. 이 두 단계는 모두 중요하며, 각각의 성공이 최종 결과에 크게 기여합니다. 모델 구축 단계에서는 초기에 제공된 데이터를 활용하여 최적의 모델을 개발합니다. 이 학습된 모델은 이후 데이터 평가 과정에서 모델 스코어링에 활용됩니다.

모델 구축 작업은 주로 오프라인에서 수행되며, 모델 평가는 실시간으로 이루어져야 합니다. 다양하고 고차원적인 EHR 데이터의 복잡성을 효과적으로 관리하고 구성하는 것이 모델 개발의 주요 도전 과제입니다. 효과적인 모델 구축을 위해서는 먼저 충분한 양의 훈련 데이터 세트를 사용하여 모델을 구축한 후, 이를 전체 데이터 세트(테스트 세트)에서 검증해야 합니다. 검증된 모델은 이후 실제 운영 환경에 배포되어 신규 데이터에 대한 평가를 수행합니다.

이 과정은 모델의 예측 정확도를 극대화하기 위해 필수적입니다. 이 단계에 도달하면, 알고리즘은 EHR에 기록된 과거 정보를 바탕으로 심부전의 위험성을 평가하게 됩니다. 이 평가는 새로운 환자 상호작용이 EHR 시스템에 등록될 때마다 자동으로 수행됩니다. 이어서, 다양한 후속 조치가 취해지며, 이는 주로 데이터의 양과 정확성에 기반합니다. 모델 스코어링은 모든 관련 활동을 실시간으로 처리하는 어려움에 직면해 있으며, 이를 위해 빠른 처리 속도를 갖춘 적절한 분류 및 저장 절차가 필요합니다.

두 번째 접근 방법으로, 설정된 시간 프레임에 따라 자동으로 평가가 이루어지도록 시스템을 프로그래밍할 수 있습니다. 예를 들어, 의사의 진료 일정에 맞춰 자동으로 평가를 수행하고, 환자 상담 전에 결과를 저장하는 시스템을 구성할 수 있습니다. 이러한 자동화 덕분에 시스템은 환자 치료에 더욱 효과적으로 기여할 수 있게 되며, 환자 상담 도중에는 미리 계산된 심부전 지수와 관련 권장 사항을 제공할 수 있습니다.

6장.

외상성 뇌 손상에 대한 규칙 기반 컴퓨터 지원 의사 결정

2010년 미국 질병통제예방센터(Centers for Disease Control and Prevention, CDC)의 보고에 따르면 외상성 뇌 손상(Traumatic Brain Injury, TBI) 사례는 약 170만 건으로 문서화되었습니다. 이 중 약 52,000명이 사망하고 많은 사람들이 치유할 수 없는 장애를 겪었습니다. 미국에서 발생하는 사고 사망의 30.5%가 치명적인 뇌 손상에 기인하고 있습니다. 특히, 0~14세 어린이 중 연간 약 473,947명이 외상성 뇌 손상으로 인해 응급실을 방문하며, 이 중 상당수가 신경학적 문제를 경험합니다.

2014년에는 외상성 뇌 손상에 따른 직접적인 병원비와 간접 비용으로 약 600억 달러가 지출된 것으로 추정됩니다. 외상성 뇌 손상은 주로 특정 원인에 의해 발생하며, 이미 확립된 치료 방법이 존재하기 때문에 컴퓨터 지원 시스템을 활용하면 장기 장애와 치명적인 합병증을 줄일 수 있습니다. 이 시스템들은 의료 결정과 자원 배분을 객관적이고 정확하게 개선할 수 있는 장점을 제공합니다.

연구에 따르면 외상 치료에 특화된 컴퓨터 지원 시스템의 도입은 외상 환자의 치료 비용을 대폭 줄일 수 있습니다. 특히 치명적인 뇌 손상 환자의 경우, 신속하고 정확한 치료 결정이 그들의 생존 가능성을 높일 수 있습니다.

외상 환자의 처리에 있어 중환자실(Intensive Care Unit, ICU)에서 필요로 하는 시간을 예측하는 것은 중요한 요소입니다. 이는 환자를 병원으로 이송하는 방법을 결정하는 데에도 중요한 고려사항이 됩니다. 고도의 응급 상황에서 환자는 헬리콥터나 구급차로 이송될 수 있으며, 중증의 경우 헬리콥터 이송이 생존 및 회복 가능성을 높일 수 있습니다.

연구에 따르면 헬리콥터로 이송된 환자의 생존률이 높다고 보고되었으나, 그 과정에서 발생하는 비용이 매우 높습니다. 따라서 자원의 효율적 분배는 결정적인 문제입니다. 의료 분야에서는 다양한 컴퓨터 지원 의사 결정 시스템을 사용할 수 있으며, 이는 주로 외상 환자 데이터베이스의 통계적 분석을 수행하는 데 활용됩니다.

그러나 일부 컴퓨터 기반의 의사결정 시스템은 아직 정확도와 구체성에서 부족함을 보이고 있습니다. 또한, 신경망 같은 고급 기법을 사용함에도 불구하고, 이들의 내부 메커니즘이 완전히 이해되지 않아, 공개적으로 그 추론 과정을 조사하기 어렵습니다. 이런 지능형 시스템들의 폭넓은 적용은 여전히 이와 관련된 다양한 문제로 인해 제한적입니다. 이에는 블랙박스로 작용하는 신경망의 사용, 포괄적인 데이터베이스의 부재, 그리고 관련성이 떨어지는 속성을 포함시키는 것 등이 문제가 되고 있습니다.

외상 환자의 치료를 개선하기 위해서는, 머신러닝 기술을 활용하여 보다 정확하고 신뢰할 수 있는 예측 가이드라인을 개발하는 것이 필요합니다. 분류 및 회귀 트리(Classification and Regression Trees, CART), 서포트 벡터 머신(Support Vector Machine, SVM) 등과 같은 머신러닝 기법은 의료 응용 분야에서 활용될 수 있으며, 때때로 부스팅 같은 기법이 높은 수준의 분류 정확도를 달성하는 데 사용됩니다.

기계 학습의 적용은 생물 정보학 분야에서 수행된 연구를 통해 이

점이 있음이 드러났습니다. 이는 의사 결정 트리(Decision Tree) 분석 및 로지스틱 회귀(Logistic Regression)와 같은 기법을 활용하여 서로 다른 의료 데이터베이스 간의 유사점과 차이점을 비교하고 평가하는 연구, 예를 들어 Andrews 등이 수행한 연구에서 확인할 수 있습니다. 쿠너트의 연구에서는 다변량 적응 회귀 스플라인(Multivariate Adaptive Regression Splines, MARS) 및 분류 및 회귀 트리(Classification and Regression Tree, CART) 같은 비모수적 방법이 모수적 방법보다 우수한 모델을 생성할 수 있다는 결과를 보여주었습니다.

시뇨리니와 그의 동료들은 나이와 글래스고 코마 척도(Glasgow Coma Scale, GCS)와 같은 특성을 포함하는 간단한 모델을 개발했습니다. 그러나 이 모델이 제한된 수의 변수만을 포함하고 있다는 점은 생성된 규칙의 정확성에 의문을 제기할 수 있습니다. 해스포드는 CART와 로지스틱 회귀를 비교 분석한 결과, CART가 결과 예측에서 로지스틱 회귀보다 더 정확함을 보여주었습니다. 반면, Guo는 CART 모델과 로지스틱 모델을 결합하면 모델의 활용도가 향상된다는 결과를 발견했습니다. 이러한 관점을 고려할 때, 통계적 방법과 머신러닝을 결합하는 접근이 더 정확하고 신뢰할 수 있는 의사 결정을 위한 규칙 생성 소프트웨어 개발에 유익할 수 있습니다.

본 장에서는 머신러닝 알고리즘과 로지스틱 회귀의 다양한 구성에 대한 성능을 분석합니다. 특히, 의미 있는 변수를 추출하여 신뢰할 수 있는 예측을 제공하는 데 중점을 두고 있습니다. 이 과정은 상황을 더 잘 이해하고 투명한 규칙 기반 시스템을 구축하기 위해 다양한 방법론을 병행하여 분석합니다.

이 장에서 논의되는 연구 결과는 2009년 BMC 의료 정보학 및 의사 결정 저널에 처음 등장했습니다. 이 연구를 통해 환자가 집으로 돌아갈지, 추가 치료가 필요할지, 그리고 생존 가능성이 있는지에 대한 예측을 하는데 사용된 계산 모델들을 소개합니다. 또한, 이 모델들이 어떻게 치명적인 부상을 치료하는 과정에서 발생하는 의사 결정에 영향을 미치는지에 대한 중요한 특성과 변수를 식별했습니다. 이는 의료 결정 과정에서의 중대한 진전을 나타냅니다.

6.1 사용된 데이터에 대한 설명

이 연구에서 주요 데이터 출처는 외상성 뇌손상을 입은 개인들로부터 수집된 자료입니다. 이 자료는 주로 현장, 외부 및 헬리콥터에서 수집된 데이터로 구성되어 있으며, 이들은 데이터 컬렉션의 대부분을 차지합니다. 이번 조사는 캐롤라이나 의료 시스템(CHS)과 국립 외상 데이터 센터(National Trauma Data Center, NTDC)의 데이터베이스를 활용하여 가능하였습니다. 현장 수집 데이터는 사고 발생 장소에서 직접 환자로부터 수집된 정보를 말하며, 이는 의사 결정을 위한 중요한 첫 단계 정보입니다.

사고 현장에서는 접근할 수 있는 변수가 제한적이어서 의사 결정을 내리기 어렵지만 필수적인 과정입니다. 특히, 기존의 질환, 신상 정보 및 기타 관련된 중요 정보들은 대부분 병원에 도착한 이후에야 수집되므로, 현장에서는 이러한 정보 없이 의사 결정을 내려야 합니다.

헬리콥터를 통해 의료기관으로 이송된 환자들로부터의 데이터 수집은 주로 응급 필요 상태에서 수행됩니다. 이들 데이터는 다음과 같은 변수들을 포함하고 있습니다: 부상 유형, 나이, 성별, 혈압, 수액 투여량, 호흡을 돕기 위해 사용된 기도 관리 장치, 글래스고 코마 척도(GCS), 심박수, 호흡수, 부상 중증도 점수(ISS) 및 두경부 부상 중증도 점수(ISS-Head and Neck).

중환자실(ICU)에서 보낸 일수는 중요한 측정 지표로, 환자가 병원에 도착한 후의 치료 기간을 나타냅니다. 이 데이터는 0일에서 최대 49일까지의 범위를 가지며, 이는 중환자실 입원 기간을 결정하는 데 중요한 요소입니다. 복잡한 데이터 세트를 사용하여 예측 모델을 개발할 때, 과도한 복잡성을 피하기 위해 데이터를 중증도가 낮은 그룹과 높은 그룹으로 단순화하여 분류하는 방법이 사용됩니다. 이는 모델의 이해와 적용을 용이하게 하기 위함입니다.

중환자실(ICU)에서의 입원 기간은 환자를 비중증 혹은 중증 그룹으로 분류하는 데 사용됩니다. 2일 미만으로 중환자실에 입원한 환자들은 비중증 그룹에, 2일 이상 입원한 환자들은 중증 그룹에 속합니다. 이 분류 기준은 외상 전문가들의 피드백을 바탕으로 결정되었으며, 전문가들과의 논의를 통해 확정되었습니다. 데이터 세트에는 총 497건의 사례가 포함되어 있으며, 이 중 196건은 극단적인 사례로, 301건은 비교적 덜 심각한 사례로 분류됩니다. 이 데이터는 쿼드콥터와 관련된 정보의 복잡성을 제공하며, 분석을 위한 중요한 기초 자료를 형성합니다.

6.2 특별 주제: 외상성 뇌손상 평가를 위한 새로운 방법

외상성 뇌손상의 경우, 치명적인 결과 중 하나는 뇌 중심선의 변화와 심실 시스템의 크기 및 위치의 변화입니다. 이러한 변화는 뇌손상의 심각성을 특징짓는 데 사용될 수 있습니다. 중심선의 변화를 파악하면 두개내압(Intracranial Pressure, ICP)을 어느 정도 예측할 수 있으며, 이는 외상성 뇌손상 환자의 관리에 필수적입니다. ICP가 상승하면 환자는 이차 손상을 입을 수 있으며, 이는 허혈이나 탈장과 같은 치명적인 결과를 초래할 수 있습니다.

환자가 뇌수술을 받는 동안 또는 그 이후에 두개 내압을 모니터링하기 위하여 뇌실 내부에 압력 트랜스듀서를 배치하는 것이 일반적입니다. 하지만 이 방법은 환자에게 추가적인 위험을 초래할 수 있습니다. 따라서 비침습적인 ICP 측정 방법의 개발이 중요하며, 이는 외상성 뇌손상의 치료와 관리에 중요한 역할을 할 수 있습니다. 본 문서에서는 CT(컴퓨터 단층 촬영) 이미지를 사용하여 중앙선 변위를 자동으로 측정하는 혁신적인 방법을 소개합니다.

이 새로운 평가 방법은 치명적인 뇌 손상의 정밀한 분석을 가능하게 하며, 이는 환자의 진단과 치료 계획 수립에 꼭 필요한 정보를 제공합니다. 캐롤라이나 의료 시스템(CHS)에서 제공하는 결정적인 CT 정보를 바탕으로, 외상성 뇌손상을 앓고 있는 환자들의 데이터를 분석하였습니다. 이 환자들의 데이터는 병원에 입원했을 때 각기 다른 정도의 뇌손상을 입은 상태로, 동일한 시설에서 치료된 환자들의 집단으로 구성되었습니다. 이 데이터 셋은 40명의 환자와 391개의 축 방향 CT 스캔 세그먼트로 구성되어 있으며, 각 스캔은 뇌의 심실 또는 그 예상 위치를 보여줍니다. 이러한 축 방향 CT 이미지는 분석을 위한 중요한 근거 자료로 사용되었습니다.

중심선 변화 측정은 세 가지 주요 단계로 구분됩니다. 첫 번째 단계에서는 환자의 CT 스캔을 획득한 후 뇌의 이상적인 중심선, 즉 예상되는 중앙선을 찾습니다. 이 작업은 두개골의 대칭과 조직 특성을 기반으로 한 계층적 검색을 통해 수행됩니다. 이 단계가 완료되면, 두 번째 단계에서는 해당 부상이 수술이 필요할 정도로 심각한지 여부를 결정합니다. 이어지는 마지막 단계에서는 CT 스캔의 뇌 부분에서 심실 시스템을 추출하고, '형상 일치' 기법을 사용하여 실제 중심선에 대한 근사치를 결정합니다.

다음으로, 이러한 계산된 최적의 중앙선 위치를 실제 TBI CT 이미지의 중앙선과 비교하여 심실의 수평 변위를 측정합니다. 이 과정은 변화의 정도를 확인하기 위해 수행됩니다. 중심선 이동 완료 후, CT 이미지의 자료와 기타 생물학적 정보를 통합하여 ICP를 예측하는 모델을 구축합니다.

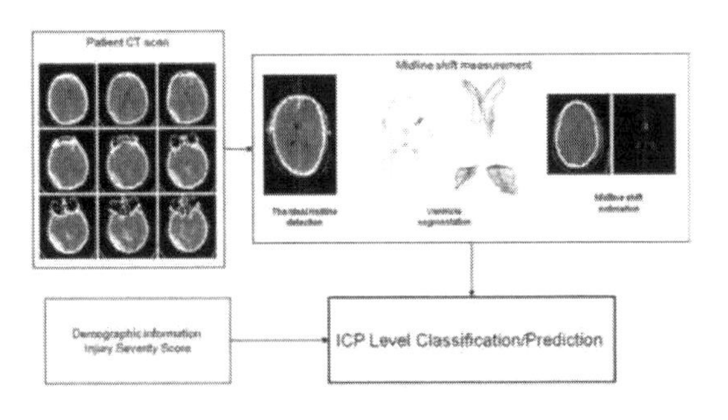

그림 6.1 방법론 개요

중앙선은 정상적으로 뇌의 건강한 상태를 반영할 때 정상 범위 내에 위치하게 됩니다. 이상적인 중앙선을 기준선으로 사용하는 이유는, 현재의 뇌 조직 위치와 이상적 위치 간의 변화를 평가할 수 있기 때문입니다. 또한, 환자의 머리 움직임이 CT 이미지에서 다양하게 기록될 수 있으므로, 중앙선을 이용하여 각 스캔을 보정하는 작업이 필요합니다. 이는 환자의 머리 위치에 따라 차이가 발생할 수 있기 때문입니다. 이미지의 중심 선정은 각 스캔의 보정 작업에 중요한 역할을 합니다.

대부분의 경우, 뇌의 대칭성은 두개골의 특정 해부학적 특징과 결합되어 최적의 중앙선을 추정하는 데 사용됩니다. 뇌의 중앙선을 따라 발생하는 움직임은 두개골의 구조적 변화에 영향을 받지 않습니다. 따라서 두개골의 심층 구조, 예를 들어 뇌의 주름이나 뼈 돌출 부위를 식별하는 과정에서 최적의 중앙선을 성공적으로 활용할 수 있습니다.

각 섹션 처리는 최적의 중앙선을 결정할 수 있도록 각 이미지 세그먼트마다 개별적으로 수행됩니다. 이처럼 개별 세그먼트 계산 시 발생할 수 있는 불일치를 보정하기 위해, 각 이미지의 중앙선을 교정합니다.

심실 시스템에 대한 후속 단계에서는 CT 이미지의 다양한 밝기 값을 고려하여, 심실 구조가 다른 조직과 혼동되지 않도록 세심한 관찰이 필요합니다. CT 이미지에서 심실은 일반적으로 더 어두운 색조로 나타나며, 이는 심실에 더 많은 양의 혈액이 존재하기 때문입니다. 그러나 이러한 노이즈도 신중하게 분석되어야 합니다, 특히 다양한 유형의 조직을 정확하게 구분하는 것은 CT 이미지 분석에서 주요한 도전 과제 중 하나입니다. 따라서 이러한 문제를 해결하기 위해 심실 시스템을 세분화하는 과정을 각각 고유한 기능을 수행하는 두 단계로 나눌 수 있습니다.

이미지 세분화 및 중앙선 계산

초기 단계에서 낮은 수준의 이미지 세분화를 통해 영상 데이터를 각 구성 요소로 정리합니다. 이 접근 방식의 적용은 영상을 적절한 위치에 배치하는 데 도움을 줍니다. 반복 조건부 모드(Iterative Conditional Mode, ICM)과 최대 사후 확률(Maximum A Posteriori Space Probability, MASP)과 같은 기법은 특히 저수준의 CT 뇌 세분화에 유용하게 활용됩니다. 이후 고도화된 템플릿 비교 작업을 통해 세분화된 출력 중 어떤 부분이 심실 영역을 구성하는지 확인합니다. 이 방법은 심실 영역을 보다 정확하게 식별하는 데 사용됩니다.

세분화된 심실 정보를 바탕으로 좌측과 우측 심실을 구분하는 경계선을 찾아내고, 이를 통해 신체의 실제 중앙선을 계산합니다. 이 계산된 중간선은 심실 영역의 분리를 반영하여 이미지의 중앙선을 결정하는 데 활용됩니다.

이미지 표현 및 중앙선 변화 계산

심실 분할 결과는 이진화된 형태로 표현되어, 심실 영역은 물체로, 나머지는 배경으로 처리됩니다. 이 형식에서 주로 사용되는 정보는 기하학적 데이터로, 바이너리 형식은 데이터를 매우 압축적으로 저장합니다. 세분화된 형태와 표준 심실 템플릿 간의 연관성을 통해, 각 세그먼트의 구체적인 정보가 완성됩니다. 이 과정은 심실의 각 부분을 정확하게 식별하고 심장의 중심선의 위치를 파악하는 데 필요합니다.

이 중앙 부분은 이미지의 좌우 경계를 구분하는 중심선을 정의하는 데 이용됩니다. 이후, 얻어진 실제 중앙선과 이전에 예측된 이상적인 중앙선과의 차이를 계산하여 중앙선의 변화를 측정합니다. 중앙선 변화가 계산된 후, 추가 데이터 특성을 복구하고 이를 환자의 신상 정보와 함께 이용하여 ICP 수치에 대한 교육적인 추정을 수행합니다.

6.3 비교 분석

비슷한 증상으로 내원한 환자들의 치료 결과가 경우에 따라 상이할 수 있습니다. 이러한 상황에서 패턴을 인식하는 일은 복잡할 수 있으며, 선형 방법론이 종종 적합하지 않다는 점이 입증되었습니다. 비선형 기법이 종종 더 나은 결과를 도출하는 경향이 있기 때문에, 복잡한 의료 데이터에는 이러한 기법의 적용이 권장됩니다.

그러나 신경망 같은 비선형 기법은 종종 그 내부 구조와 학습된 가중치가 불투명하여, 이해하기 어렵습니다. AdaBoost 및 서포트 벡터 머신(SVM) 등의 기법도 내부의 정보를 숨기는 경향이 있습니다. 이에 비해 C4.5나 CART 등의 규칙 기반 방법론은 의사 결정 프로세스의 투명성을 제공하며, 이는 의료 응용 프로그램에서 매우 중요한 요소입니다. 이러한 규칙 기반 기법은 패턴 인식과 정보 표현에서 중요한 역할을 합니다.

인공 뉴런은 인간의 뇌에서 발생하는 생물학적 과정을 모방한 정보처리 및 학습 구조입니다. 이 과정에는 학습과 정보 처리가 포함됩니다. 신경망, 인공 신경망 또는 자연 신경망을 지칭할 수 있으며, 이는 수많은 뉴런(처리 구성 요소)으로 구성되어 있습니다. 이들 뉴런은 서로 밀접하게 연결되어 복잡한 네트워크를 형성하며, 이 네트워크 내의 시냅스는 문제 해결을 위해 협력하여 서로 통신합니다.

신경망은 훈련 중에 제공된 사례들을 독립적으로 해석하여 새로운 정보를 학습할 수 있습니다. 특정 문제에 대한 초기 분류가 일반적으로 무의미한 것으로 나타나고 이 후에 이러한 분류를 보완하여 실제 분류로 반영합니다. 방사형 기저 함수(Radial Basis Function, RBF)를 기반으로 하는 신경망은 패턴 분류와 같은 문제를 처리하는 데 특히 적합합니다. RBF 신경망은 학습 속도가 빠르고 수학적 구조가 간단하며, 패턴 인식에 매우 효과적입니다. 표준 RBF 네트워크는 입력 계층, 은닉 계층, 출력 계층으로 구성된 피드포워드, 역전파 신경망입니다.

네트워크의 은닉 계층 내에서 주로 사용되는 기저 함수는 가우스 함수입니다. 이 함수의 결과는 뉴런 중심에서의 거리에 따라 변화합니다. 데이터베이스에는 성별과 환자의 합병증 종류와 같은 명목 분류 변수가 포함되어 있으며, 성별은 0(남성)과 1(여성)의 이진 변수로 표현됩니다. 모든 수학적 값은 이진 값으로 변환됩니다. 이러한 원칙들은 각각의 특성을 구별하는 데 사용됩니다.

일반화 가능성과 확장성을 평가하기 위해 10-겹 교차 검증이 수행됩니다. 각 단계에서 9개의 하위 그룹이 훈련에 사용되고 나머지 하나는 평가에 사용됩니다. 이 방법은 데이터 집합을 완전히 독립적인 10개의 부분으로 나누어 각 부분이 독립적으로 처리되도록 합니다.

로지스틱 회귀는 응답 변수와 여러 독립 변수 간의 관계를 분석하는 데 사용되며, 독립 변수는 특정 분포를 따를 필요가 없습니다.

로지스틱 회귀분석은 그룹 간에 직접적인 관계가 있거나 동일한 차이를 가질 필요가 없습니다. 가능성 비율, 로지스틱 회귀에서 얻은 중요한 해석 데이터는 특정 예측 간의 부적절한 관계의 정도를 평가합니다. 로짓 함수, 이항 분포에 대한 표준 링크 함수는 로지스틱 회귀에서 널리 사용됩니다. 이 함수는 데이터를 로짓 척도에 매핑하여 선형 관계를 보여주는 데 유리합니다. 잔차 분석과 분산 분석은 회귀 모델의 가정의 정확성을 검증하는 데 사용됩니다.

모든 변수 간에 선형 관계가 존재함에도 불구하고 일부 관계는 다른 관계에 비해 상대적으로 약할 수 있습니다. 이러한 관점에서 본 연구에서는 다양한 변수 중 머리 AIS(Abbreviated Injury Scale)와 나이에 초점을 맞추어 분석을 진행하였습니다. 이 관계를 살펴보기 위해 로짓과 해당 지표 간의 관계를 나타내는 산점도와 회귀 분석을 통해 얻은 잔차 그래프가 동시에 제시됩니다.

선형성을 가정할 때, 잔차는 무작위 진동을 보이며 특정 패턴을 식별할 수 없어야 합니다. 그러나 잔차 플롯에서 곡선 형태가 관찰되면, 해당 변수 간에 비선형 관계가 존재할 가능성이 있음을 시사합니다. 이는 곡선 형태가 지수적 관계를 나타내는 경향이 있기 때문입니다. 이 연구에서 사용된 분석 도구는 SAS(Statistical Analysis

Software)이며, 이를 통해 나이와 머리 AIS를 환자 사망률과 연관된 예측 변수로 분석하였습니다.

만약 예측 변수의 잔차 다이어그램에 곡률이 포함되어 있는 경우, 모델의 정확도를 높이기 위해 이차 항을 도입하고 통계적 유의성을 평가할 필요가 있습니다. 실제로 이차 항의 계수가 통계적으로 유의미하게 나타난다면, 해당 이차 항을 모델에 통합하는 것이 적절합니다. 또한, 변수의 중요성을 식별하는 데는 포워드 선택(forward selection) 및 점진적 선택(progressive selection)과 같은 다른 모델 선택 전략을 사용할 수 있습니다.

순차적 방법을 통해 다양한 변수 조합을 고려하고, 어떤 변수 그룹이 결과를 가장 정확하게 예측하는지 결정합니다. 하지만, 반복적인 삽입 및 삭제를 포함하는 이 방법은 항상 가장 유의미한 변수를 선택한다는 보장이 없습니다. 예를 들어, '나이'가 필수 변수로 선택되지 않을 수도 있으나, 의료 전문가는 치료 결정을 내릴 때 이를 중요한 요소로 고려할 수 있습니다.

관찰 연구에서 MLE(Maximum Likelihood Estimation)의 적용은 다양한 변수 중에서 어떤 것이 유의미한지를 식별하는 데 높은 정밀도를 제공합니다. 이와 대조적으로, 포워드 모델 선택 방법은 때때로 직접 MLE 방법에 비해 떨어지는 정밀도를 보여줍니다. 또한, 통계 분석에서 SAS 도구를 사용하여 각 변수의 유의미성을 평가하였고, 이는 신경망이나 SVM과 같은 기법을 사용하여 규칙 추출을 목적으로 설계되지 않았음을 감안해야 합니다.

규칙 추출에 특화된 접근법으로는 C4.5 및 CART가 있습니다. 이러한 방법은 의료 데이터 분석과 같은 특정 애플리케이션에서 유의미한 입력 변수로 활용됩니다. 전체 모집단에 임의로 적용하기보다는 적절한 대상 집단에 맞추어 규칙을 제시하는 것이 중요합니다. 이는 규칙이 다양한 환자 집단에 적용될 때 최대한 정확하도록 보장하기 위함입니다.

AdaBoost, 신경망, SVM은 규칙 생성을 목적으로 설계된 도구가 아님에도 불구하고, 이들의 성능을 평가하기 위해 여기에서 비교 분석되고 있습니다. 이 방법들의 효율성을 평가하는 것은 규칙 기반 시스템의 일관성과 정확성을 CART 알고리즘과 비교하기 위한 효과적인 절차로 간주됩니다.

이 연구에서 활용된 규칙 기반 기법은 의료진과 외상 전문가들이 환자의 부상 생존 가능성을 판단하는 데 큰 도움을 줍니다. 투명성을 바탕으로 한 이러한 지침들은 임상의들이 자원을 보다 효율적으로 배분하며 환자에게 우수한 서비스를 제공할 수 있도록 합니다. 테스트 세트에서 투영된 정확도가 85% 이상인 규칙만을 초기 규칙 기반 시스템에 포함시킵니다. 이는 의료 전문가들의 권고에 따라 이루어집니다.

전체 인스턴스 수는 상대적으로 작지만, 75%에서 85% 사이의 정확도를 가진 권장 사항이 포함됩니다. 규칙의 부적절함은 주로 데이터베이스 내 중요한 정보의 결여 때문이며, 두 번째 설명은 현재 인식되지 않는 변수 간의 관계에 대한 지식이 포함되어 있기 때문입니다. 외상 전문의들 대부분은 ISS 점수가 25점 이상인 환자의 생존 가능성이 매우 낮다는 데 동의합니다.

그러나 적절한 시기에 적절한 치료를 받은 환자는 높은 ISS 점수에도 불구하고 생존 가능성이 더 높을 수 있습니다, 특히 그들의 머리와 흉부 AIS 점수가 낮은 경우에 더욱 그렇습니다. 일반적으로, 75%에서 85%의 정확도를 가진 가이드라인을 통해 향후의 치료법을 결정하고 권장합니다. 환자의 기존 질환이 알려지지 않은 경우, 사망률은 평균적으로 73.9%의 정확도로 예측됩니다.

환자의 기존 질환이 알려져 있으면 예측 정확도는 80%까지 향상됩니다. 오프사이트 데이터는 고급 예측 테스트 평가에 포함되며, 이는 이러한 데이터에 환자의 상태에 관련된 중요 정보가 포함되어 있기 때문입니다. CART 사용시, 이 조건을 가장 정확하게 반영하는 정보는 일반적으로 의사 결정 트리의 최상위 레벨에서 찾을 수 있습니다.

응고 장애는 중요한 기존 질환이며, 이 질환을 가진 사람들은 심각한 출혈과 관련된 높은 위험을 감수해야 합니다. 외상성 뇌 손상이 있는 환자는 이러한 장애 또는 유사한 상태를 의식하는 것이 중요하며, 이는 의료 결정 과정에서 중요한 고려사항 중 하나입니다.

6.4 유의미한 변수 선택

알고리즘의 효율성과 정확성을 개선하기 위한 첫 단계로, 데이터 컬렉션에서 중요한 변수를 식별하는 것이 필수적입니다. 의료진에게는 회복에 큰 영향을 미치는 적은 수의 변수를 기반으로 한 추천이 더욱 유용하며 간단합니다. 이를 위해 헬리콥터와 사이트 외 데이터 세트 모두에서 로지스틱 회귀 및 직선 최대 우도 추정(MLE)을 사용하여 필수 변수를 정확히 결정합니다. 이 과정으로 최대한의 정확도를 달성할 수 있습니다. 이 장에서는 사이트 외 데이터 세트로부터 얻은 결론과 고려해야 할 9가지 중요한 변수를 강조합니다.

월트 검정(Wald Test)은 변수 간의 관계를 식별하고 모델을 수립하기 위해 사용됩니다. 이 검정을 통해 각 변수에 대한 월트 카이제곱 검정을 적용함으로써 변수들의 개별 표준 편차를 고려한 후, 결과적으로 생성된 특이 비율에 대한 분석을 진행합니다. 헬리콥터 데이터 세트에서 추출되어 유의미하고 눈에 띄는 것으로 간주된 변수들을 확인했습니다.

이번 연구에서는 원래 11개 변수 중 오직 5개 변수만이 유의미하다고 판단되었습니다. 이 연구는 또한 5가지 머신러닝 기법을 사용하여 예후 예측 능력을 분석하고 비교했습니다. 가장 중요한 변수만을 사용하도록 모델을 제한하면, 각 알고리즘의 성능이 향상됩니다. 연구에 따르면 가장 중요한 변수만 사용함으로써 보다 균일한 훈련-테스트 성능을 얻을 수 있습니다. 의사가 생성된 판단의 논리를 인식하고 이해하는 것은 의료 결정에서 유리하게 작용할 수 있습니다.

특히 시스템이 제안한 권장 사항에 대한 사용자의 평가가 일치할 경우, 시스템에 대한 신뢰도가 상승 할 수 있습니다. 그러나 임상의가 시스템의 추천이 부정확하거나 치료 과정에 도움이 되지 않는다고 판단될 경우, 시스템의 조언을 무시할 수도 있습니다. 알고리즘의 판단을 통해 이전에 인식되지 않았던 환자 성공에 영향을 미치는 변수들에 대해 조명할 수도 있습니다.

오프사이트 데이터 세트에서의 결과와 재활 또는 가정에서의 치료 결과, 그리고 집중 치료에서 보낸 기간에 대한 예측 성능을 정리합니다. 또한, 헬리콥터 데이터 세트에서의 예측 결과 정확성도 조사합니다. 이 두 상황 모두에서 중점을 둔 것은 최종 결과에 상당한 영향을 미치는 요소들입니다.

이 연구에서는 수신기 작동 특성(ROC) 다이어그램을 개발하여 알고리즘의 유효성을 평가했습니다. ROC 곡선은 오탐률 대비 진양성률(민감도)을 플롯하여 구성되며, 이는 환자 사망률 예측의 정확성을 분석하는 데 사용됩니다. 사용 가능한 모든 변수와 유의미한 변수만을 사용하여 생성된 ROC 곡선의 곡선 아래 면적(AUC)을 비교 분석하여 모델의 효과를 평가합니다. 유의미한 변수만을 사용할 경우 결과의 질이 현저히 향상됨을 확인할 수 있습니다.

데이터셋 처리 시 중요한 변수만 포함된 모델에 대해서만 ROC 분석을 수행한 것은 이러한 모델이 더 정확한 결과를 도출할 가능성이 높기 때문입니다. 기존 증거에 따르면, 머신러닝 기법들 간에 ROC 분석 결과는 큰 차이를 보이지 않습니다. 그러나 로지스틱 회귀는 제한된 정보에서도 다른 방식에 비해 더 우수한 성능을 보입니다. 이는 본 연구에서 중환자실 재원일수를 예측하는 데 활용된 정보를 분석함으로써 확인할 수 있습니다. 이를 바탕으로 로지스틱 회귀를 이용하여 유의미한 변수들로만 구성된 사망률과 재원일수의 예측 모델에 대한 ROC 다이어그램을 생성하고자 합니다.

본 연구에서는 로지스틱 회귀를 활용해 유의미한 변수들을 선별하고 컴퓨터 지원 규칙 기반 시스템을 개발했습니다. 이 시스템은 정확도가 높은 추론을 제공하며, 이는 투명하고 비교 가능한 의사 결정 규칙을 생성하는 데 중요합니다. 이 연구의 목적은 의료 진단 지식을 축적하고 이를 명확한 근거를 가진 의사 결정으로 전환하는 것입니다.

연구자들은 직접 최대 우도 추정법과 로지스틱 회귀를 결합하여 영향력이 큰 변수들을 식별하는 전략을 개발했습니다. AdaBoost, CART, SVM, RBF 신경망과 같은 다양한 머신러닝 기법의 성능 비교 결과, 유의미한 변수만을 사용한 경우와 비교하여 사용 가능한 모든 변수를 사용했을 때의 성능이 모두 향상된 것으로 나타났습니다.

추천된 전략이 기술된 다섯 가지 방법은 모두 신뢰할 수 있고 성공적임이 입증되었습니다. 규칙의 정확도가 85% 이상일 경우, 이는 고 신뢰성 규칙으로 분류됩니다. 데이터 세트 내에서 이 임계값을 초과하는 발생 비율을 보인 모든 규칙은 높은 수준의 신뢰성을 갖는 것으로 평가됩니다. 연구 과정에서, 규칙의 민감도 및 특이도를 평가하기 위해 실행된 테스트 결과, 제공된 결과 조합에 대해 규칙의 민감도는 87.4%, 특이도는 88.4%로 측정되었습니다.

이는 전략이 효과적임을 나타내는 중요한 증거입니다. 가이드라인의 품질을 유지하거나 향상시키기 위해 추가적인 변수를 포함하는 수정이 필요할 수 있습니다. 특히, 결과 클래스가 균등하게 분포된 대규모 데이터베이스는 전반적인 품질 및 테스트의 민감도와 특이도를 모두 향상시킬 수 있습니다. 이 섹션은 각 데이터 세트의 민감도 및 특이도 분석 결과를 제시하여, 의사결정의 신뢰성을 평가할 수 있게 합니다.

데이터셋에서 정확도가 85% 이상인 매개변수만 사용함에 따라, 일부 중요한 의료 정보가 누락될 수 있습니다. 특정 규칙의 구체성이 부족한 것은 규칙 자체의 결함이 아니라, 포괄적인 데이터베이스가 부족하여 규칙을 충분히 검증할 수 없었기 때문일 수 있습니다. 이 문제에 대해서는 추가적인 조사가 필요합니다. 정확도가 85% 미만인 규칙들도 규칙 기반 시스템 내에서 보존되며, 이러한 규칙들은 보조적인 "지원 규칙"으로서 향후 치료 및 수술 추천 과정에서 활용될 수 있습니다. 예를 들어, 외상 분야 전문가들은 일반적으로 ISS (손상 심각도 점수)가 높을수록 재난에서의 생존 확률이 낮다고 봅니다.

이 연구에서 수집된 정보에 따르면, 예상치 못한 결과를 초래하는 특정 기본 사항이 밝혀졌습니다. '반직관적' 원칙의 한 예로, 현재 발생한 사건 중 ISS 평가가 높은 사건이 전체의 3.3%인 52건 중, 33건(63.5%)이 AIS(손상 심각도 지수) 등급이 높은 심각한 사례에 해당한다는 사실을 관찰했습니다. 급성 호흡곤란증후군(ARDS)은 대부분의 사례에서 중요한 요인으로 고려됩니다.

이번 권고안에 따르면, 기존 질환, ARDS, 인슐린 의존성 당뇨, 심근경색, 응고병증 등은 사망률 예측 능력에 큰 영향을 미치는 질환들입니다. 또한 헬리콥터로 이송된 환자의 전체 중환자실 입원 일수를 결정하는 주된 요인으로 환자의 기도 상태가 밝혀졌습니다. 환자가 중환자실에 머무르는 기간 중 74.6%가 2일 미만이었고, 2일 이상 필요한 환자는 25.4%에 불과했으며, 그중 20일 이상 필요한 환자는 2.9%에 불과했습니다. 이는 헬리콥터로의 불필요한 이송이 과도하다는 주장과 일치합니다.

고급 영상 기술을 활용해 의사 결정 과정에 통찰력 있는 정보를 추가하는 것이 가능합니다. 이는 병렬로 처리되는 정보를 더 추가할 수 있기 때문입니다. 결과적으로 생성되는 가이드라인의 정확도와 신뢰성이 더욱 향상됩니다.

중환자실 재원일수에 대한 정확한 예측 규칙을 사용함으로써 헬기로의 이송 효율성을 높일 수 있으며, 이는 운영 비용을 낮추고 위급한 환자에게 적시에 치료를 제공하는 데 도움이 됩니다. 이러한 연구는 의료진의 진단 정밀도를 높이고 머신러닝 알고리즘 개발에 필요한 기반을 제공합니다. 로지스틱 회귀와 CART를 결합하여 신뢰할 수 있는 만남의 여러 원칙을 생성함으로써, 이 시스템은 환자의 사망률과 재활 혜택을 받을 수 있는 정도, 또는 집으로 돌아갈 수 있는 정도를 정확하게 예측할 수 있도록 합니다. 또한, 외상성 뇌손상(TBI) 여부를 판단하고 두개내압(ICP) 수치를 평가할 수 있는 새로운 방법도 개발되었습니다. 이러한 기법들은 의료진의 판단을 지원하여 환자 치료를 개선하고 시간 및 비용을 절약할 수 있도록 도움을 줍니다.

이 문제를 해결하기 위해 개발된 컴퓨터 지원 의사 결정 방법은 여러 이점을 제공합니다. 이 방법은 규칙 기반 권장사항을 제공하며, 사용 가능한 자원을 가장 효율적으로 활용할 수 있도록 도와줍니다. 이는 의료 전문가들이 환자에게 현재 가능한 최고의 치료 표준을 제공하는 데 도움이 될 수 있습니다.

6.5 의료 보험 사기 탐지

의료 사기는 승인되지 않은 금전적 이득을 목표로 하여 실제로는 사용되지 않은 서비스에 대한 허위 청구서를 제출하는 개인이나 그룹에 의한 범죄로 정의됩니다. 의료 종사자들은 이러한 '의료 절도'와 같은 심각하고 복잡한 문제에 직면해 있습니다. 메디케어 및 메디케이드 서비스 센터(CMS)는 2009년 동안 미국의 의료 서비스에 대한 총 지출이 2조 5,000억 달러에 달했다고 보고했으며, 이는 GDP의 17.6%에 해당하는 금액으로, 전년 대비 증가한 수치입니다.

그 해 동안 50억 건 이상의 건강보험 청구서가 지급되었는데, 이 중 일부는 사기성 청구일 가능성이 있습니다. 비록 사기성 청구가 전체 건수의 소수에 불과하더라도 이로 인한 금전적 손실은 막대합니다. CMS의 추정에 따르면, 2016년까지 의료 비용은 4조 1,400억 달러에 달해 GDP의 19.6%를 차지할 것으로 예상됩니다.

미국 의료 사기 방지 협회(NHCAA)에 따르면, 의료 사기로 인해 매년 총 의료비 지출의 약 3%인 600억 달러가 손실되고 있습니다. 이 비용은 케냐, 에콰도르, 아이슬란드 등 120개국의 GDP보다 큰 금액입니다. 이러한 손실을 방지하지 않으면 이는 생활 수준과 국가 경제에 모두 부정적인 영향을 미칠 수 있습니다. FBI는 의료 산업의 복잡성으로 인해 매년 700억에서 2,340억 달러가 부정하게 손실된다고 추정하고 있습니다.

이러한 금전적인 손실을 넘어서, 의료 시스템의 무결성 손상은 환자들에게 양질의 서비스와 치료를 제공하지 못하는 결과를 초래할 수 있습니다. 따라서 부정행위를 정확히 식별하고 조사하며 차단하는 것이 필수적입니다. 이는 의료 서비스의 품질을 향상시키고 관련 비용을 절감하는 것을 가능하게 합니다. 의료 시스템 내에서 부정 행위를 발견하는 과정은 우선 감사 단계를 거치며, 이어서 보다 구체적인 조사가 진행됩니다. 이를 통해 의심스러운 계정을 자세히 조사하여 보험사 및 제공자 중 부정행위를 저지른 경우를 식별할 수 있습니다.

완벽한 세계에서는 모든 보험금 청구에 대해 포괄적이고 상세한 회계 절차가 적용되겠지만, 현실적으로 모든 보험금 청구에 대해 감사를 실시하는 것은 불가능합니다. 이러한 감사가 요구하는 방대한 데이터 양과 복잡한 계산은 관리하기 어려운 데이터 더미를 생성할 수 있습니다. 또한, 서비스 제공업체에 대한 감사는 조사자에게 필요한 정보의 종류가 명확히 제시되지 않는 경우가 많아, 어떤 사항을 조사해야 할지 파악하기 어렵습니다.

따라서, 짧은 목록에 있는 환자와 의사들을 대상으로 하는 평가는 보다 실현 가능하고 효율적인 조사 방법입니다. 분석가들은 감사 과정에서 다양한 분석 접근 방식과 절차를 활용하며, 사기 가능성이 높은 진술은 종종 예측 알고리즘을 통해 인식될 수 있는 패턴을 나타냅니다.

6.6 보험 정책 공급자

보험 공급업체는 보험 가입자가 납부한 보험료를 바탕으로 가입자의 의료비를 지급하는 기관입니다. 보험 정책의 잠재적 공급자로는 민간 보험 회사뿐만 아니라 공적으로 관리되는 의료 부서도 있으며, 중개인 역할을 하는 판매자들도 이에 포함될 수 있습니다.

보험 사기에 관한 대부분의 정보는 보험 제공자 자체로부터 나옵니다. 그러나 보험 제공자가 저지른 사기에 대한 연구는 상대적으로 부족합니다. 보험 가입자의 사기로 인한 연간 매출 손실이 약 850억 달러로 추정되는 것은 이러한 사기가 보험 회사에 큰 재정적 부담을 안기고 있다는 것을 시사합니다.

이러한 상황을 해결하기 위해 보험 회사는 사기를 예측하고 방지할 수 있는 기술과 절차를 개발하고, 보다 효과적인 감사 및 조사 전략을 마련해야 합니다. 이는 단지 금전적 손해를 줄이는 것뿐 아니라, 보험 사기로 인해 손상될 수 있는 회사의 신뢰성과 명성을 보호하는 데에도 필수적입니다.

다음은 보험 제공자가 연루될 수 있는 잠재적인 사례 중 일부입니다: 2009년 9월, 한 개인이 블루크로스 보험회사에 자신의 기존 질환을 알리지 않았으나, 이 사실이 회사에 알려지게 되었습니다. 이로 인해 해당 개인은 더 이상 회사로부터 건강 보험 혜택을 받을 수 없게 되었습니다.

해당 개인은 처음에 자신의 건강 상태를 전혀 인지하고 있지 않았으며, 의식을 잃은 상태에서 보험사는 그녀의 보험을 해지했습니다. 이 사실에 대해 깊은 놀라움을 표현한 후, 갑상선 질환과 심장 울혈 판정을 받게 되자 회사는 자의적으로 보험을 해지했습니다. 따라서 그녀는 의료비로 25,000 달러의 청구서를 부담하게 되었습니다.

이 경우처럼 보험 제공 업체가 관련된 사기 행위는 다른 유형의 사기 행위와 비교하여 압도적으로 많은 비율을 차지하지 않지만, 일부 서비스 제공업체가 단독으로 수행하는 사기 행위가 있습니다. 대부분의 서비스 제공업체는 신뢰할 수 있으나, 의료 시스템에 큰 손실을 초래하는 소수의 부정직한 업체도 존재합니다. 이러한 업체들은 종종 수백만 달러의 손실을 일으키는 부정 행위를 저지르며, 이는 의료 자금 도난으로 이어질 수 있습니다. 이러한 현상은 의료 시스템 전반에 걸쳐 큰 문제를 야기하며, 관련된 모든 사람들에게 부정적인 영향을 미칩니다.

이러한 복잡한 사례에서 사기를 탐지하는 것은 도전적일 수 있습니다. 따라서 연구자들이 데이터에서 패턴과 관계를 효과적으로 발견할 수 있는 방법을 찾는 것이 시급합니다. 고급 데이터 마이닝 및 머신 러닝 기법은 과거 데이터를 기반으로 사기 행위를 특징짓는 예측 변수를 식별하는 데 사용될 수 있습니다. 이 기술들은 과거 사례로부터 학습하여, 시간에 민감한 문제에 필요한 신속한 대응을 가능하게 합니다.

6.7 의료 분야의 사기 탐지를 위한 데이터 마이닝

의료 시스템에서 부정행위 및 부적절한 사용을 방지하기 위해 데이터 마이닝이 점차 중요해지고 있습니다. 의료 보험 회사가 생성하는 방대한 데이터 양을 전통적인 방법으로는 효과적으로 분석하고 평가하기 어렵기 때문입니다. 데이터 마이닝은 이러한 방대한 데이터를 유용한 정보로 변환하는 과정을 말하며, 이 분야에서 필요한 기술과 노하우를 제공합니다. 이러한 분석은 의료 산업이 직면한 재정적 압박에 대응하기 위해 점점 더 필수적인 요소가 되고 있습니다.

데이터 마이닝은 환자 데이터를 통해 높은 수준의 치료를 유지하면서 조직의 생산성을 향상시키고, 비용을 절감하며 수익을 증가시킬 수 있는 방법을 제공합니다. 예를 들어, 1997년 균형 예산법에 따라 메디케어 및 메디케이드 서비스 센터(CMS)는 환자를 케이스 믹스 클러스터로 분류하고 이를 기반으로 잠재적 요금 시스템을 구현해야 합니다. CMS는 다양한 데이터 마이닝 전략을 사용하여 이러한 요금 시스템을 설계하고, 전향적인 환급 방법을 개발했습니다. 데이터 마이닝 애플리케이션은 일반적으로 사기 행위 및 데이터 오용을 발견하는 데 사용됩니다.

이 애플리케이션은 병원, 실험실 및 개별 의료 전문가들이 제출하는 청구서에서 비정상적인 패턴을 식별합니다. 이는 잘못된 추천, 처방, 의료비 청구, 사기성 보험 청구 등의 문제를 드러내며, 텍사스 메디케이드 사기 및 남용 감지 시스템의 사례에서 보듯이, 이러한 시스템은 대량의 데이터를 분석하여 비정상적인 행동을 식별 및 사기를 적발하는 데 중요한 역할을 합니다. 1998년 이 시스템은 220만 달러를 회수하고 1,400명을 수사 대상으로 지정하는 성과를 달성했습니다.

이러한 성과는 단 몇 달간의 꾸준한 노력을 통해 달성되었으며, 그 자체로도 상당히 이례적인 일입니다. 결과적으로 텍사스 시스템은 혁신적인 전문 지식 활용을 통해 국가 인센티브를 받았습니다. 이 인센티브는 그들의 능력을 인정받아 수여된 것입니다. 데이터 마이닝 작업은 지도된 방법과 비지도된 방법, 이 두 가지 범주로 나눌 수 있습니다.

지도된 머신 러닝 기법은 외부에서 제공된 예제를 바탕으로 일반적인 결론을 도출하고, 이를 사용해 미래의 인스턴스를 예측하는 데 활용됩니다. 이러한 기법을 통해 예측 모델링 과정에서 관련 클래스 식별자의 분포에 대한 압축된 모델을 구축할 수 있으며, 이 모델을 기반으로 새로운 인스턴스에 클래스 레이블을 할당할 수 있습니다.

이와 대조적으로, 비지도 데이터 마이닝 기법은 주변 환경으로부터 직접적인 결과나 이점을 얻지 못하지만, 입력 데이터의 특성화를 사용하여 예상 입력을 예측하고, 이를 다른 메커니즘으로 효과적으로 전달하여 의사 결정을 내리는 데 필요한 통찰력을 제공합니다. 비지도 학습은 데이터에서 무질서하거나 노이즈로 보일 수 있는 패턴을 식별할 수 있으며, 이는 클러스터링과 차원 감소와 같은 기법으로 구현될 수 있습니다. 이러한 기법들은 최근 몇 년간 많은 주목을 받았습니다.

사기 탐지 프로그램에서는 종종 지도된 학습 방법이 선택되지만,

비지도 학습 기법의 적용 가능성도 높습니다. 이 장에서는 의료 시스템 내에서 사기를 탐지하는 데 사용할 수 있는 비지도 머신 러닝 기법에 초점을 맞춰 이 방법들을 소개하고, 이 기법들이 어떻게 속임수를 식별하는 데 도움이 될 수 있는지에 대해 검토합니다. 우리의 목표는 의료 시스템에서의 사기 탐지 정확도를 개선하는 것입니다.

의료 사기를 연구하는 데 있어서 보험회사에서 제공하는 데이터의 중요성은 강조될 수 있으며, 이는 보험회사가 사기를 저지르는 경우의 연구량 감소를 부분적으로 설명할 수 있습니다. '보험회사'라는 용어는 공공의 메디케어 프로그램뿐 아니라, 개인이 소유하고 운영하는 보험 엔터프라이즈 모두를 포괄적으로 지칭합니다. 이러한 맥락에서의 데이터 활용은 중요한 의료정책 및 운영 결정에 큰 영향을 미칠 수 있습니다.

지도 학습 머신러닝 기법을 통해 다양한 출처에서 개발되고 보급된 데이터는 의료 진단 과정을 지원하는 데 큰 도움을 주었습니다. 일반적으로, 이러한 출처에서 제공되는 데이터의 대부분은 보험 청구 정보로 구성됩니다. 보험 기록은 서비스 제공업체와 보험 구매자 모두와 관련이 있으며, 이 데이터베이스는 복잡한 특성을 포함하고 있어 사기 탐지 모델에 유용합니다. 이를 통해 보험 가입자와 의료 서비스 제공자의 사기성 행동 패턴을 인식할 수 있습니다. 이 정보를 활용하면 보험 가입자뿐만 아니라 의료 서비스 제공자의 시간에 따른 행동 변화에 대한 깊은 이해를 얻을 수 있으며, 이는 조직이 사기에 연루된 경우를 쉽게 식별할 수 있게 합니다.

6.8 신경망

신경망은 인간의 뇌가 정보를 처리하는 방식과 유사하게 데이터를 예측하고 분류하는 데 사용됩니다. 신경망은 서로 연결된 인공 뉴런의 네트워크로 구성되며, 각 뉴런은 다른 뉴런으로부터 받은 정보를 단일 출력 신호로 변환합니다. 이 과정에서, 신경망은 학습 데이터에 따라 각 연결의 가중치를 조정하며, 이 가중치는 개인화에 영향을 받기 쉽습니다.

신경망의 주요 특징은 계층형, 피드포워드, 완전히 통합된 노드로, 이는 데이터가 입력층에서 출력층으로 직선적으로 이동하는 것을 의미합니다. 대부분의 신경망은 입력층, 하나 이상의 은닉층, 그리고 출력층을 포함합니다. 다층 퍼셉트론(MLP)은 여러 은닉층을 포함할 수 있는 다층 피드포워드 네트워크의 일종입니다.

숨겨진 레이어에서의 입력 변수의 가중치 누적은 신호를 출력 형태로 변환하는 데 사용되는 임계값 함수를 통해 처리됩니다. 이 과정을 거쳐 신경망은 입력된 데이터와 결과 사이에 강력한 연결을 설정하며, 복잡하거나 혼란스러워 보이는 데이터도 효율적으로 처리할 수 있습니다.

Ortega 등은 칠레의 민영 의료보험 시장에서 사기를 식별하기 위해 다층 퍼셉트론 네트워크를 활용한 연구를 진행했습니다. 이들은 의료 청구, 동료, 의료인, 직원 등 각 조직에서 사기에 가담한 개체를 식별하기 위해 MLP 네트워크 기반 시스템을 제안했습니다. 이 시스템은 이러한 네트워크를 사용하여 의료 보험 사기를 효과적으로 탐지하는 모델을 구축할 수 있음을 보여줍니다.

사전에 계산된 속성 벡터는 사용되어, 해결해야 할 조작 및 부정 행위의 특정 하위 문제를 대표합니다. ISAPRE 시스템과 같은 민간 선불 의료 보험에서 의료비 청구가 제출되면, 각 평가위원회의 결과는 예측값 형태로 전달됩니다. 이 과정은 의학적 진단이 내려질 때마다 반복됩니다. 이러한 결과는 추가 입력으로 사용되어 다양한 결과를 통합하기 위한 반응 방법론을 개발하는 데 도움이 됩니다. 모델 평가는 고안된 일정에 따라 정기적으로 실행됩니다.

의료비 청구를 처리하는 모델은 매일 실행되는 반면, 다른 모델들은 월간으로 실행됩니다. 모든 하위 모델에 일관된 기준에 따른 보충 지침이 제공됩니다. 데이터 갱신 기법은 훈련 모델이 전통적인 속임수 패턴과 새로운 패턴 모두를 포괄할 수 있도록 유지하는 것을 목표로 합니다. 분야별 전문가의 도움을 받아 새로운 훈련 예시를 선별하고 분류하는 과정이 이루어집니다. 이어서, 정상적인 사례와 사기 사례가 균형 있게 포함된 하위 그룹을 선정하여 학습 데이터 세트에 추가합니다.

이로 인해 모델은 새로운 사기 범주에 대한 지식을 갖추게 되며, 이러한 새로운 범주가 발생할 경우 이를 탐지하고 대응할 기능을 갖추게 됩니다. 하지만, 신경망 사용의 주된 단점은 개별 변수의 중요성을 직접적으로 파악하기 어려운 점입니다. 리우는 당뇨병 외래 서비스 데이터를 활용해 신경망을 통해 사기와 청구 착취를 식별하는 과정에서 변수에 대한 민감도 분석을 수행하여 이 한계를 극복했습니다. 그 후, 연구자들은 분류 작업 시 고려해야 할 핵심 요소로 여겨지는 변수들에 대해 논의했습니다.

베이지안 분류 시스템은 각 변수가 갖는 상대적 중요성을 평가함으로써 결론에 도달합니다. 신념 네트워크, 또는 확률적 그래프는 변수 간 확률적 관계 뿐만 아니라, 이러한 관계에 대한 과거 정보를 포함하는 방대한 가능성의 네트워크를 형성합니다. 데이터가 혼돈스러울 때, 이 기법은 특정 정보를 파악하는 데 매우 유용할 수 있습니다. 또한 베이지안 네트워크는 직관적인 그래픽 표현을 사용하여 원인과 결과를 명확하게 설명할 수 있는 강력한 의미론적 도구를 제공합니다. 이는 자동화된 추론이 중요한 다양한 분야에서 널리 활용될 수 있는 이유입니다.

오메로드와 그의 동료들이 진행한 연구에서는 의료 정보 도난을 탐지하는 데 베이지안 신념 네트워크 기반의 대량 탐지 도구(MDT) 개발에 초점을 맞췄습니다. 이 도구는 실시간으로 다양한 사기 행위 가능성에 대응하고, 부정 행위 가능성에 영향을 미칠 수 있는 불확실한 지표에 대한 권장 사항을 제공하여 보험금 청구 관리자의 의사 결정 능력을 향상시키는 데 도움을 줍니다.

IBM은 사기 조사 전문가 및 의료 분야의 업계 전문가와 협력하여 보험 회사, 건강 관리 조직(HMO), 및 위험을 감수하는 의료 종사자들이 사기 행위를 탐지하도록 돕는 시스템을 개발했습니다. 이 시스템은 사기 및 남용 관리 시스템(FAMS)으로 알려져 있으며, 퍼지 모델링과 의사 결정 지원 기술을 결합하여 사기 활동을 인식, 조사, 예방 및 중재합니다. FAMS는 퍼지 모델링 시스템과 결합되어 동시대의 다른 제공자와 비교하여 비정상적인 행동을 하는 제공자에게 점수를 부여합니다.

FAMS에는 650개가 넘는 표준적이고 개별적인 행동 패턴이 포함되어 있으며, 여기에는 전문적인 질환을 가진 환자의 비율과 각 상담 중 수행된 평균 시술 횟수 등이 포함됩니다. 사용자가 분석 모델을 구축할 때는 이러한 패턴을 조사하고자 하는 피어 그룹에 적합한 기능 개체 모음에서 선택하고 결합합니다. 이 과정은 데이터의 정확한 표현을 생성하기 위해 수행됩니다. FAMS에서 제공하는 가능한 솔루션 수는 25개에서 30개 사이입니다. 모델은 포함된 각 제공업체에 대한 데이터 평가와 연계하여 숫자를 계산합니다.

점수는 0에서 1,000까지의 범위 내에서 특정 피어 그룹이 설정한 표준에서 벗어나는 정도를 기준으로 할당됩니다. 데이터의 다양성이 클수록 이 점수는 더욱 중요해집니다. FAMS는 유연한 멤버십 함수를 사용하여 각 개별 제공자의 행동을 평가하고 점수를 지정합니다. 알고리즘은 먼저 피어 그룹에 속한 모든 제공업체의 각 행동 패턴에 대한 값을 결정하고, 이 값을 제공업체 간에 어떻게 분포하는지 평가합니다.

조사 우선순위 목록에서 가장 높은 점수를 받은 제공업체는 추가 조사 후보로 포함됩니다. 이와 같은 FAMS 도구의 사용은 의심스러운 제공업체들의 잠재적인 사기 행위를 조사하는 데 유용합니다. 건강보험료 데이터를 검토할 때 새로운 유연한 베이지안 분류기를 만들고, 이를 사용하여 확률과 선행을 바탕으로 후행을 계산할 수 있습니다. 이 과정은 이벤트의 가능성을 결정하는 데에도 활용될 수 있으며, 베이지안 분류기는 베이지안 추론을 활용하여 분류 결과에 영향을 미칠 수 있는 모든 특성을 고려하여 최대한 정확한 결과를 제공합니다.

베이지안 분류기는 결과 해석과 관련하여 뛰어난 통제력과 심층적인 이해를 제공하기 때문에 사례 집합을 보다 명확하게 분류할 수 있습니다. 이는 결과의 해석 방식에 기인합니다. 그러나 베이지안 추론은 연속적인 특성을 처리하면서 다수의 확률 분포를 컴파일해야 하는 복잡한 계산을 필요로 합니다. 이러한 복잡성은 퍼지 집합 이론과의 결합을 통해 회피할 수 있으며, 이 조합은 연속적인 특성을 별도의 속성으로 변환할 수 있게 합니다.

연구를 위해 챈 등은 800개의 문서를 사용했으며, 이 중 166개는 진본이고 나머지 634개는 위조된 문서였습니다. 이들은 훈련 데이터와 평가 데이터 세트를 80/20, 70/30, 60/40의 비율로 분할하는 세 가지 방법을 사용했습니다. 훈련 데이터는 학습을 위해 베이지안 분류기를 통과한 후, 테스트에 사용된 나머지 데이터 세트로 분류되었습니다. 이 연구에서는 각 분할 방법과 관련된 민감도, 특이도, 정밀도를 계산하여 평가했습니다.

결과적으로, 80/20 분할 방법이 가장 높은 민감도(0.639), 특이도(0.968), 정밀도(0.894)를 보이며 최고의 성능을 나타냈습니다. 민감도는 다소 낮지만, 분류의 전반적인 정확도는 매우 높았습니다. 이는 선택된 특성이 건강보험 청구 데이터에서 부정을 인식하는데 적합하지 않았기 때문입니다. 이것이 주된 문제 원인입니다. 퍼지 베이지안 분류의 복잡성에 대해 가능한 가장 단순한 용어로 설명하겠습니다.

6.9 로지스틱 회귀

로지스틱 회귀는 이진 결과가 있는 변수를 분석하기 위한 비선형 분석 방법으로, 활용됩니다. 이 방법은 성공 또는 실패를 나타내는 두 가지 가능한 결과만을 고려합니다. 로지스틱 회귀의 주요 장점

중 하나는 함수가 이해하기 쉽다는 점입니다. 리우 등은 로지스틱 회귀를 사용하여 가짜 기관과 실제 기관을 구별하는 연구를 수행했습니다. 연구에서는 정상 청구가 '0'으로, 부정 청구가 '1'로 표시되는 것을 확인했습니다.

연구팀은 비용과 관련된 9개의 변수를 사용하여 모델을 선정했습니다. 이러한 변수들 중 8개가 결과의 예측에 유효한 영향을 미치는 것으로 나타났습니다. 일반적인 의료비 지출은 포함되지 않았습니다. 이후 이 8개의 지표를 사용하여 종합적인 로지스틱 회귀 모델을 구축하였습니다.

이 프로그램은 사기에 연루된 시설을 식별하는 데 있어 100%의 성공률을 기록했습니다. 이 알고리즘은 일반 기관에 대해서도 84.6%의 높은 식별률을 보였으며, 이는 로지스틱 회귀 모델이 일반 제공자를 분류하는 과정에서 약 15%의 오류율을 보인다는 것을 의미합니다. 전체 데이터 세트에서는 92.2%의 정확한 식별 비율을 달성했습니다. 또 다른 사례로는 로지스틱 이항 회귀(binary logistic regression) 방법을 사용하여 의료 사업에서 사기 행위를 밝혀낸 경우도 있습니다. 이 방법은 활동의 유병률(prevalence)을 확인하기 위해 수행되었으며, 종속 범주형 변수(categorical dependent variable) 사용은 사기 혹은 비사기 여부를 나타내기 위해 이루어졌습니다.

이 결과를 바탕으로 데이터베이스에서 네 가지 주요 요소를 조사하기로 결정했습니다: 진단 가능 여부(진실)에 따른 질병 분류, 주치의가 승인한 병가 일수, 승인된 병가 일수에 대해 지급해야 하는 금액, 건강보험 환급 청구 내역입니다. 이 중 질병 분류와 병가 신청 빈도는 상당한 예측력을 보였습니다. 휴직과 총 보상을 설명하는 변수들 역시 유의미한 예측력을 나타냈습니다.

이러한 사기 행위의 주된 특징은 동일인이 여러 건의 병가를 신청하거나 진단 검사에 이의를 제기하는 경우였습니다. 실제로 필요한 것보다 많은 병가를 사용한 직원의 경우, 과거 사기 행위에 가담했을 가능성이 높습니다. 이 모델의 민감도(sensitivity)는 99.71%, 특이도(specificity)는 99.86%로 매우 양호했습니다. 모델이 정확하게 실제 사기 경우를 식별한 비율인 양의 예측값(positive predictive value)은 약 98.59%였으며, 사기가 아닌 경우를 정확하게 식별한 음의 예측값(negative predictive value)은 약 99.97%였습니다.

6.10 유전 알고리즘

유전 알고리즘(Genetic Algorithm, GA)은 유전학과 자연 선택의 원리를 바탕으로 한 검색 전략입니다. GA는 전통적인 방법들보다 탁월한 성능을 발휘하며, 최적화 문제를 해결하는 데 있어 매우 성공적인 전략으로 잘 알려져 있습니다. 특히, 실제 상황에 적합한 최적의 솔루션을 찾기 어려운 경우 GA는 그 대안을 제공합니다. 이 알고리즘은 자격을 갖춘 전문가들이 수행한 분석 및 시스템 분류와의 결합을 통해 더욱 향상된 결과를 도출할 수 있습니다.

유전 알고리즘은 일반의의 진료 프로필 분류에 사용될 수 있는 최적의 특성 가중치를 찾는 데 활용되었습니다. 이 연구는 선택(selection), 교차(crossover), 돌연변이(mutation) 및 비용 함수(cost function)의 개념을 활용하여 실시되었습니다. 연구 결과는 표 형태로 제시되었으며, 연구진은 역방향으로 작업하여 데이터 세트에서 최적의 가중치를 학습했습니다. GA의 효과성은 각 시험에서 단 2,000 세대만에 허용할 수 있는 일치율에 도달했다는 점에서 입증되었습니다. 이는 GA가 매우 효과적임을 보여줍니다. KNN(최근접 이웃) 분류기와의 결합을 통해 성공적으로 유클리드 거리 지표를 활용하여 데이터 분류의 정확도를 높일 수 있었습니다.

KNN 분류기와 그 다양한 변형들은 동기화율이라는 통계를 통해 예측을 얼마나 잘 동기화했는지 평가되었습니다. 동기화율은 KNN 분류기가 생성한 분류와 전문 컨설턴트가 생성한 분류 사이의 일치 비율을 의미하며, 이 비율을 데이터 세트에 존재하는 전체 예제 수로 나누어 계산합니다. 이 통계는 KNN 분류기의 여러 반복과 직접 비교하기 위해 사용되었으며, 다수결의 사용, 베이지안 규칙의 적용 및 KNN 분류기의 활용은 모두 이 시나리오에서 높은 합의율을 달성하는 데 기여했습니다.

데이터 마이닝 분야에서는 다양한 접근 방식을 취할 수 있으며, 그 중 하나는 연관 규칙(mining association rules)을 사용하는 방법입니다. 연관 규칙은 데이터 포인트 간의 상호 연관성을 찾는 데 활용되며, 특정 특징이 알려진 컬렉션에서 자주 함께 발생하는 패턴을 식별합니다. 이러한 정보를 전달할 때 일반적으로 추천되는 형식은 if-then 논리적 표현입니다. 연관 규칙은 확률적 기반을 가질 수 있으며, if-then 규칙은 논리적 특성을 가집니다.

연관 규칙은 전제(premise)를 나타내는 '만약' 구성 요소와 결론(consequence)을 나타내는 '그러면' 부분을 포함합니다. 또한, 각 규칙에는 규칙과 연관된 확률을 나타내는 두 개의 숫자, 즉 지원

(support)과 신뢰도(confidence)가 포함됩니다. 지원은 규칙이 포함하는 모든 항목을 포함하는 트랜잭션의 수를, 신뢰도는 주어진 전제 하에서 결론이 얼마나 자주 발생하는지를 나타냅니다.

최근 몇 년 동안, 의료 서비스 제공자의 기만적 행위를 방지하기 위해 연관 규칙이 자주 활용되었습니다. 이러한 속임수는 환자의 건강에 해로울 수 있습니다. 반복되는 패턴을 발견하기 위해 긍정적 연관성 원칙이 주로 사용되었으나, 부정적 연관성 개념의 활용은 의료 시스템의 속임수를 효과적으로 발견하는 데 기여했습니다.

Shan 등은 데이터 세트 분석을 통해 약 215개의 연관 규칙을 도출했으며, 그 중 23개는 긍정적 연관 규칙, 192개는 부정적 연관 규칙이었습니다. 이 결과는 전문가들이 비윤리적인 청구 관행을 식별하기 위해 개발된 지침에서 사용되었습니다. 부정적인 연관 규칙의 수가 긍정적인 연관 규칙의 수보다 많았으며, 이는 대상의 유무에 대해 모두 식별된 반면 긍정적인 규칙은 대상의 존재 여부만 고려했기 때문입니다.

부정적 연관성 규칙은 긍정적 연관성 규칙보다 신뢰도가 더 높은 것으로 나타났습니다. 부정적 연관성 규칙의 최소 신뢰도는

95.95%였고, 긍정적 연관성 규칙의 최저 신뢰도는 80.25%였습니다. 부정적 규범과 관련된, 자주 반복되는 패턴은 메디케어 급여 스케줄에 포함된 청구 요건과 관련하여 신뢰할 수 있는 것으로 판단되었습니다. 이는 규정 때문입니다. 규정 위반 여부를 판단하는 데 있어서 네거티브 규범은 직관성과 유용성 측면에서 포지티브 규범보다 훨씬 더 나은 것으로 나타났습니다.

문제가 된 품목은 대다수의 전문가들이 일반적으로 청구하지 않는 품목이었으며, 인보이스 발행 제품도 마찬가지였습니다. 이는 이 상황에서 위반된 규칙 중 하나였습니다. 동료 전문가들에 비해 이러한 원칙을 반복적으로 위반한 전문가들이 눈에 띄었습니다. 192개의 부정적 제한 사항 중 30개는 신뢰도 등급이 1로, 목표 달성에 중요하지 않다고 간주되는 것으로 나타났습니다. 이러한 규칙은 이번 사건의 직접적인 결과로 폐지되었습니다. 나머지 162개의 규칙은 주제별 전문가가 검토하고 분석하여 잘못된 인보이스 발행이 발생할 가능성에 따라 세 가지 범주로 분류했습니다.

등급이 높은 규정은 해당 규정이 매우 중요하다는 것을 의미하며, 이 규정을 위반할 경우 메디케어 오스트레일리아에서 비용이 부정하게 청구될 가능성이 높다는 것을 의미합니다. 반면 등급이 낮은 경우, 규정을 위반해도 해당 행위가 부적절한 청구를 의미하지 않거나 다른 유효한 청구 사유가 있을 수 있음을 나타냅니다. 또한, 이러한 행위는 청구에 대한 다른 합법적이고 정당한 사유가 존재할 수 있음을 시사할 수 있습니다. 낮은 등급의 규칙은 부적절한 송장 정보를 찾는 데 효과적이지 않을 수 있지만, 관련 규정 준수 노력에 참여한 전문가에 대한 중요한 정보를 수집하는 데에는 유용할 수 있습니다.

실험 결과, 절반 이상(56.18%)의 규칙이 상위 또는 중간 등급으로 분류되어 잘못된 인보이스 발행을 파악하는 데 적절한 것으로 확인되었습니다. 전문 분석가의 도움을 받아 이 162개의 제한 규정의 심각성을 평가했습니다. 일반적으로 이러한 기준을 더 자주 위반하는 것으로 밝혀진 고위험 실무자들에게 해당 전문가 역할이 할당되었습니다. 이 규정 위반은 해당 분야에서 동시에 근무한 동료 전문가들과 비교했을 때 얼마나 다른지를 보여주는 예시가 되었습니다. 연구진은 PRISM(뇌졸중 관리 연구 프로그램) 데이터베이스를 활용하여 관련 규정의 준수 여부를 확인할 수 있었습니다.

PRISM 데이터베이스는 메디케어 오스트레일리아가 관리하며 과거 규정 준수 활동과 관련된 뇌졸중 전문의의 정보를 포함하고 있습니다. 연구자들은 이 데이터베이스를 사용하여 전문가가 관련 규정을 준수했는지 여부를 확인했습니다. 그 결과, 8명의 전문가가 총 20회 이상 규정을 위반한 것으로 확인되었으며, PRISM 데이터베이스에는 이 중 5명에 관한 기록이 포함되어 있었습니다. 이 데이터에 따르면, 연결 개념의 정확성은 50%에 불과했습니다. 규정을 5회 이상 무시한 사람들의 정확도는 25.81%였고, 한 번 이상 규정을 무시한 사람들의 정확도는 29.46%였습니다. 이 결과로 미루어 보아, 한 번의 규정 위반만으로도 비준수 행위에 가담했다는 충분한 증거가 될 수 있음을 시사합니다.

비베로스와 그의 동료들은 병리학 서비스에 활용된 에피소드 데이터베이스를 대상으로 한 연구에서 연관성 기준을 적용하였습니다. 이 연구에서는 데이터베이스에 기록된 각 환자의 정보가 유지되면서, 이를 통해 고유한 신원을 사용하여 데이터의 조합을 추출할 수 있었습니다. 이 조합은 특정 시점에 하나 이상의 건강 검진을 포함할 수 있으며, 각 세션에서 최대 20개의 검진이 수행될 수 있습니다. 연관성 규칙을 도출하기 위해 최소 신뢰도 기준으로 50%를 설정했으며, 최소 지원 임계값으로는 1%, 0.5%, 0.25%를 사용했습니다.

이 연구에서는 최소 50%의 신뢰도와 최소 1%의 지지도가 필요한 24개의 연관성 규칙을 도출했습니다. 또한, 최소 신뢰도 50%와 최소 지지율 0.5%를 만족하는 조건에서 64개의 관계 규칙이 확인되었습니다. 최소 신뢰도 50%와 지지율 0.25% 조건에서는 135개의 연관 규칙을 발견하였습니다. 최소 지지도를 1%에서 0.5%로 낮추어 더 많은 행동 패턴에 대한 정보를 포착할 수 있었던 것으로 나타났습니다.

현재 미국 정부가 직면하고 있는 주요 문제 중 하나는 의료 시스템 내 사기 이슈입니다. 사용 가능한 데이터의 양이 방대하여 한 개인의 부정 행위를 조사하는 것은 매우 어렵습니다. 이에 따라 다양한 통계적 접근 방법이 제안되었습니다. 사기는 다양한 방법으로 저질러질 수 있으며, 언제 발생했는지를 파악하기 어려운 경우가 많습니다. 따라서 효과적인 사기 탐지 모델의 필요성이 점점 더 커지고 있습니다. 이 모델은 빠르게 낡지 않아야 하며, 현재 알려지지 않은 사기 유형까지 포함할 수 있어야 합니다. 의료 시스템이 효율적으로 작동하기 위해서는 신뢰할 수 있는 사기 탐지 시스템을 구축해야 하며, 이 시스템은 현재뿐만 아니라 미래에 발생할 수 있는 사기도 대응할 수 있어야 합니다.

이 장에서는 의료 시스템 내에서의 사기 행위를 분류하고, 데이터 소스를 탐색하며, 데이터의 특성을 정의하고, 지도학습 기반의 사기 탐지 모델에 대해 알아보았습니다. 이 과정을 통해 사기 탐지에 대한 여러 목표를 성공적으로 달성할 수 있었습니다. 이 분야에서 다양한 연구가 진행되었음에도 여전히 해결해야 할 문제들이 많이 남아 있습니다. 사기 탐지 프로세스는 단순히 패턴을 발견하는 것을 넘어서, 대규모 데이터베이스에 효율적이고 계산 부하가 적은 기술을 적용하여 개발하는 것을 목표로 합니다. 이러한 접근 방법은 방대한 데이터를 처리할 수 있어야 합니다.

7장.

빠른 감소 알고리즘을 통한 특징 추출

제 7장에서는 특징 선택을 위한 최신 반복 프로세스, 즉 빠른 감소 알고리즘(QRA, Quick Reduction Algorithm)을 소개합니다. 이 접근 방식은 자동화된 기법의 결과를 기존의 분산 분석(ANOVA, Analysis of Variance) 결과와 대조 분석함으로써 어느 접근법이 더 정확한지 평가하였습니다. 연구에 참여한 개인들을 분류하기 위해 인공 신경망(ANN, Artificial Neural Network)을 사용하였으며, 추출된 변수들을 ANN의 입력 파라미터로 활용했습니다. QRA 기반 알고리즘은 전체 26개의 변수 중 9개만을 사용했음에도 불구하고 97.5%의 환자를 정확히 분류하는 뛰어난 성능을 보였습니다. 반면 ANOVA 접근 방식은 75%의 환자 식별률에 그쳤지만, 데이터에서 세 가지 중요한 특징을 추출해낼 수 있었습니다. 실제 임상 데이터를 사용한 실험을 통해 QRA 기반의 접근 방식이 입증되었

으며, 이 과정은 완전히 자동화되었습니다. 이러한 수집된 특징들은 편두통을 겪는 환자들의 뇌혈관 평가에 실제 의료 애플리케이션으로 활용될 예정입니다.

편두통은 무증상의 뇌혈관 병변의 위험을 증가시키는 것으로 알려진 신경학적 질환입니다. 역학적 연구에 따르면, 편두통을 앓는 사람들은 혈관 사고 발생 위험이 높은 것으로 나타났습니다. 이러한 사실을 바탕으로 많은 학자들은 편두통을 일종의 전신 혈관 질환으로 간주하고 있습니다. 이에 따라 편두통과 대뇌 자율 조절 또는 혈관 운동 긴장도 이상 사이의 연관성을 평가하기 위한 다수의 연구가 진행되었습니다.

편두통에는 기운을 동반하는 편두통(Migraine with Aura, MwA)과 기운이 없는 편두통(Migraine without Aura, MwoA) 두 가지 유형이 있으며, 두 유형 모두가 심혈관 및 뇌혈관과 관련된 위험 요인을 갖고 있습니다. MwA를 앓는 환자들은 MwoA 환자들에 비해 더 큰 기능 장애를 경험하는 것으로 나타났습니다. 편두통 환자들은 이러한 혈관 문제와의 상관관계로 인해 뇌혈관 건강 평가를 자주 받게 됩니다. 이는 편두통이 혈관 질환과 연관이 있음을 시사합니다. 이러한 진단 시, 뇌혈관 반응성을 정확하게 평가하는 것이 매우 중요하며, 맞춤형 치료의 시작에 결정적입니다.

근적외선 분광기(Near-Infrared Spectroscopy, NIRS)는 이러한 평가에 사용됩니다. NIRS는 주입된 적외선을 통해 환자의 두개골에 존재하는 혈액 내 산소화 및 탈산소화 헤모글로빈 수준의 변화를 실시간으로 측정하는 비침습적이고 비용 효율적인 장치입니다. 이 기기는 대뇌자가조절의 효율성을 평가하는 데 사용될 수 있습니다. 대뇌 혈관 운동 반응성 검사가 이루어지면서, 혈압 변화에 따라 동맥이 어떻게 반응하는지 평가할 수 있습니다.

이러한 평가는 숨 참기(Breath-holding, BH), 과호흡(Hyperventilation, HYP), 발살바 메뉴버(Valsalva Maneuver) 같은 활동적 기법을 포함하여 진행됩니다. 이러한 기법들은 환자에게 안전하며, 혈관의 반응을 효과적으로 측정할 수 있습니다. BH는 혈관 확장을 유발하는 자극이며, HYP는 산소 농도의 증가로 인해 혈관 수축을 유발합니다.

NIRS의 활용은 임상에서 편두통 환자의 진단 및 모니터링에 점점 중요해지고 있습니다. 예를 들어, 와타나베 등이 수행한 연구에서는 수마트리판 투여 후 편두통 발작 중 발생하는 혈류 역학 변화를 NIRS를 이용해 모니터링했습니다. 비올라와 그녀의 동료들도 재발성 편두통 발작의 원인을 조사하기 위해 환자의 두뇌 산소 공급 수준을 NIRS로 측정했으며, 흡연 습관이 뇌혈관에 미치는 영향을 밝혔습니다.

난원공, 기타 심방 중격 결함, 그리고 677-MTHFR 유전자 돌연변이 등이 대뇌 산소 공급에 미치는 영향을 조명합니다. 이러한 요인들 때문에 편두통 환자의 대뇌 자동 조절능력에 대한 신뢰할 수 있는 분석이 어려워지고 있습니다.

Giustetto와 그의 동료들은 편두통 환자의 혈관 패턴과 특정 혈액학적 매개변수 간의 상관관계를 근적외선 분광학(Near-Infrared Spectroscopy, NIRS)을 이용하여 연구하였습니다. 이 연구는 편두통이 있는 환자와 없는 환자 사이에서 다르게 나타나는 이러한 상관관계를 입증하기 위해 수행되었습니다. 일반적으로 혈관 활동 중에 포착된 NIRS 신호는 동적 특성을 가지고 있어 고정되지 않습니다. 이러한 동적 신호의 복잡성은 환자가 호흡 유지나 과호흡을 할 때 더욱 증가합니다.

연구팀은 격렬한 동작을 하는 동안 참가자들로부터 얻은 자발적인 뇌 저주파 진동을 분석했습니다. 이를 위해 건강한 지원자 그룹을 사용하여 뇌 자율 조절을 평가하는 데 사용되는 주파수 파생 지표의 기초를 개발하였습니다. 실제로 근적외선 신호, 경두개 도플러 신호, 기능적 자기공명영상(fMRI)에서 얻은 혈중산소 수준 의존성(Blood Oxygen Level Dependent, BOLD) 신호 등 다양한 뇌 혈류역학 신호의 파워 스펙트럼은 대부분 두 개의 주요 대역으로 구성된 패턴을 보여줍니다. 이러한 일관된 패턴은 모든 신호에서 관찰되었습니다.

위의 설명은 편두통과 관련된 뇌 혈관의 복잡한 상호작용을 이해하는데 중요한 단서를 제공합니다. 또한, 이러한 신호 분석의 진보는 향후 편두통의 진단 및 치료 방향에 영향을 미칠 수 있습니다. 이 장에서는 이러한 고급 기술을 사용하여 뇌의 자동 조절 능력을 평가하고, 관련 임상 적용 가능성을 탐구합니다.
이 장에서는 편두통 환자의 혈관 패턴을 분석하는 데 사용할 수 있는 특징을 정확하게 추출하는 기법을 소개합니다. 이 기법을 통해 편두통 환자의 동맥 기형 여부를 판단하는 데 필요한 특징들을 얻을 수 있습니다. 분류기의 구성에 있어 더 많은 특징을 사용한다고 해서 그 분류기의 정확도가 자동으로 향상된다는 보장은 없습니다. 실제로 많은 특징들이 적절하지 않을 수 있으며, 경우에 따라서는 분류기의 효율성을 저하시키는 노이즈를 생성할 수도 있습니다.

이러한 문제의식을 바탕으로, 분류의 정확도를 높이기 위해서는 대상 특징의 수를 줄이는 것이 유익합니다. 이 과정에서 일부 초기 특징들은 다른 용도로 변형되어 새로운 특징을 생성하기도 합니다. 이러한 변형은 원래 특징과의 연결성이 약해져 결과 해석을 어렵게 만드는 단점이 있습니다.

따라서 특징 선택은 최소한의 유용한 특성을 수집하여 특성 수를 최소화하는 원칙에 기반합니다. 이 과정은 선택된 필수 특성들을 하나의 요약된 그룹으로 컴파일하는 방식으로 진행됩니다. 특징 선택 시 최종적으로 선택되는 특성의 순위를 결정하기 위해 잘 정의된 평가 기준이 필요합니다. 이 평가 기준은 이해하기 쉬워야 하며, 출발점의 특성 수가 많을 때 모든 가능한 특성의 부분 집합을 평가하는 것은 계산적으로 현실적이지 않습니다.

이러한 문제를 해결하기 위해 보다 실용적인 시간 안에 적절한 특성 세트를 식별하기 위해 현실적인 휴리스틱 기법이 사용됩니다. 특성 선택에 있어 또 다른 중요한 측면은 시스템의 선형 구조의 여부입니다. 비선형적인 문제나 상황에 대한 특성 분석에서는 개별적으로 중요하지 않은 두 개의 특성이 결합될 때 예측력이 대폭 향상될 수 있습니다. 이 현상은 '예측 가능성의 역설'으로 알려져 있습니다.

또한 좋은 결과를 얻기 위해서는 사용되는 훈련 데이터 세트의 크기를 적절하게 확장해야 합니다. 차원 축소를 위해 선택된 두 가지 주요 방법론은 퀵 리덕션 알고리즘(QRA)과 분산 분석(ANOVA)입니다. QRA는 러프셋 이론(Rough Set Theory, RST)을 기반으로 하며, ANOVA는 데이터의 선형 모델에 기초합니다. 이 두 방법은 다음 섹션에서 분산 분석과 함께 자세히 탐구됩니다. RST는 특성 선택을 위해 체계적인 구조를 제공하며, 계산적인 측면에서 우수한 성능을 제공합니다.

본 연구에서는 편두통을 앓는 여성 집단인 MwA(기운을 동반한 편두통) 및 MwoA(기운을 동반하지 않은 편두통) 환자의 혈관 패턴을 분석합니다. 이를 위해 근적외선(near-infrared spectroscopy, NIRS)을 활용하여 산소화 및 환원된 헤모글로빈 농도의 시간 및 빈도 변화를 측정하고, 이 데이터를 통한 특징 추출 기법을 평가합니다. 연구 결과, MwA 및 MwoA 환자들 간에 중증 폐색소 침착증의 발병률에 차이가 있을 수 있음을 보여줍니다. 이 연구 결과는 이 두 질환 그룹 사이의 상관 관계가 배타적이지 않음을 시사합니다.

7.1 근적외선 시스템 및 측정 프로토콜

근적외선 반사율 분광법은 뇌의 산소화된 및 환원된 헤모글로빈(O2Hb, HHb)의 상대적 농도를 측정하기 위한 기술입니다. 이 기술은 빛의 반사를 관찰하여 비침습적으로, 그리고 실시간으로 수행할 수 있습니다. 산소포화도와 헤모글로빈은 각각 고유한 광학적 특성을 가지므로, 이를 통해 두 종류의 헤모글로빈을 정확히 구별할 수 있습니다. 실제로, O2Hb와 HHb는 서로 다른 흡수 스펙트럼을 가지고 있습니다.

두 가지 다른 파장의 빛을 동시에 뇌에 조사함으로써, 두 화학 물질의 농도 수준을 구별할 수 있습니다. 발색단, 즉 특정 파장의 빛을 흡수하는 능력이 있는 물질은 O2Hb, HHb, 시토크롬 c-산화효소(신경세포의 대사 마커) 등이 있습니다. 이들 발색단은 물, 지질, 혈장, 근육 및 뼈보다 짧은 파장에서 최대 흡수 수준을 나타내므로, 머리와 뇌의 대부분의 조직은 흡수 최고점이 적외선 영역이 아닌 다른 영역에 위치하여 측정에서 무시될 수 있습니다.

근적외선 시스템에서 사용하는 LED 또는 레이저 다이오드는 보통 650-870 나노미터의 파장을 가진 빛을 두피에 조사하여 뇌의 전기 활동에 변화를 가져옵니다. 이 광원은 수신기와 가까운 거리에 위치하여, 광자가 조직을 통과하면서 발생하는 산란과 흡수 현상을 기반으로 뇌 내 화학 물질의 농도를 계산합니다. 특히 신생아의 경우, 두개골이 완전히 석회화되지 않아 유연함을 유지하며, 이는 NIRS 검사에 있어서 산란에 기반한 측정이 특히 유용함을 의미합니다. 그러나 성인에서는 산란 현상이 오류를 발생시킬 수 있어, 흡수 방정식을 수정할 필요가 있습니다.

본 연구에서는 편두통 환자의 대뇌 자가 조절을 평가하는 과정에서 발색단(chromophore) 농도 변화를 감지하기 위해 새로운 접근 방식을 개발하였습니다. 기존의 비어(Beer)-램버트(Lambert) 법칙을 그대로 적용하는 것이 불가능함을 인지하고, 광범위한 상황에서도 적용 가능한 새로운 사고 방식을 모색하였습니다. 이러한 상황은 흡연과 같은 생활 방식의 결정부터 유전적 질환에 이르기까지 다양하며, 시스템 전체에 대한 종합적인 이해를 위해선 방대한 데이터가 필수적입니다.

복잡한 시스템을 연구하는 과정에서 연구자들은 다양한 종류의 데이터를 포함하는 거대한 데이터베이스를 구축하는 도전에 직면합니다. 이 장에서는 사용된 근적외선(near-infrared spectroscopy,

NIRS) 분석을 위한 데이터 처리 전략과 특징 추출 방법에 대해 설명합니다.

데이터 전처리 과정에서, 모든 신호의 평균값과 추세를 제거하기 위해 사전 조정 작업이 이루어졌습니다. 이러한 사전 처리는 신호의 시간-주파수 분포를 결정하기 전에 수행되었습니다. 고역 통과 체비체프(Chebyshev) 필터를 사용하여 시그널에서 15MHz에 가까운 차단 주파수를 갖는 정지 대역의 리플을 제거하였습니다. 그림 7.1은 건강한 피험자로부터 얻은 환원된 헤모글로빈(HHb) 농도 신호를 보여줍니다. 상단 패널에는 분석 창 동안 기록된 HHb 신호를, 하단 패널에는 최-윌리엄스 변환(Choi-Williams distribution, R=0.05)을 사용한 15레벨의 곡선을 보여줍니다. 수직선은 이벤트의 시작과 끝을 나타냅니다. 노란색 영역은 매우 낮은 빈도(VLF, 20-40 MHz) 대역을, 분홍색은 저빈도(LF, 40-140 MHz) 대역을 표시합니다. 이 그래프는 활성 자극의 결과로 NIRS 신호가 비정상적으로 변하는 것을 시각적으로 나타냅니다.

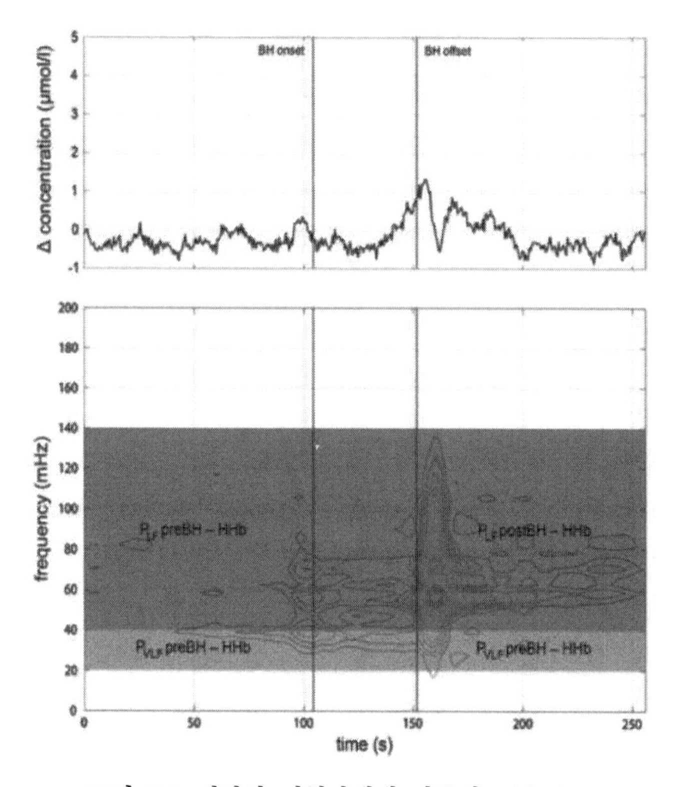

그림 7.1 건강한 피험자에게 기록된 Hhb 농도 신호(상단 패널), 분석 창 중간에 BH가 있는 상태에서 256초 동안 지속됨. 이벤트의 시작과 오프셋은 수직선으로 표시되어 있습니다. 아래쪽 패널은 신호의 최-윌리엄스 분포(R= 0.05)의 15레벨 곡선을 보여줌. 노란색 영역은 VLF 대역(20-40 Mhz)을 나타내고, 분홍색 영역은 LF 대역(40-140 Mhz)을 나타냄. 그래프는 활성 자극의 결과로 근적외선 신호가 비고정적이 됨을 보여줌.

이 연구에서는 SCF (specific chromophore frequency)의 시간-주파수 분포와 최-윌리엄스 변환을 사용하여 두 신호에서 특정 대역, VLF와 SCF,의 특징을 조사하였습니다. 이 대역들은 고유한 특성 때문에 선택되었습니다.

위의 접근법을 통해 필터가 효과적으로 추세를 제거하고, 편두통 환자의 대뇌 자가 조절 기능에 대한 더 깊은 이해를 가능하게 하는데 기여하였습니다. 이는 또한 질병의 복잡성을 다루는데 중요한 단계로, 연구 방법론의 발전을 이끌었습니다.

이 장에서는 편두통 환자의 대뇌 자가 조절 능력을 평가하는 데 기존의 비어(Beer)-램버트(Lambert) 법칙을 단순히 적용할 수 없음을 인식하고, 그에 대한 새로운 사고 방식을 개발하였습니다. 편두통 환자의 생활 방식의 선택(예: 지속적인 흡연)부터 유전적 질병에 이르기까지 다양한 요인이 이러한 복잡성을 가중시킵니다. 따라서, 시스템 전반에 대한 철저한 이해를 위해서는 도구적, 생화학적, 유전적 특성을 포함하는 방대한 양의 데이터가 필요합니다.

복잡한 시스템을 연구하는 과정에서, 연구자들은 다양한 종류의 데이터로 구성된 대규모 데이터베이스를 구축하는 도전에 직면합니다.

이 섹션에서는 근적외선 데이터 분석을 위해 사용된 처리 전략과 특징 추출 방법을 설명하고 있습니다.

시간-주파수 분포를 계산하기 전에, 모든 신호에서 평균값과 추세를 제거하는 사전 처리 작업을 수행했습니다. 이 과정은 신호의 시간-주파수 분포를 결정하기 전에 이루어집니다. 또한, 정지 대역에 리플이 있고 차단 주파수가 15MHz와 유사한 고역 통과 체비체프 필터를 사용하여 이 리플을 제거했습니다.

그림 7.2는 BH 동안 건강한 피험자와 비교한 Hhb(파란색 선) 및 O2Hb(빨간색 선) 신호를 보여줍니다. 이벤트의 시작과 종료는 수직선으로 표시됩니다. 하단 패널은 시간-주파수 SCF의 15 레벨 등고선 플롯을 보여주며, VLF 대역(20-40 MHz)은 노란색 영역으로, LF 대역(40-140 MHz)은 분홍색 영역으로 표시되어 있습니다.

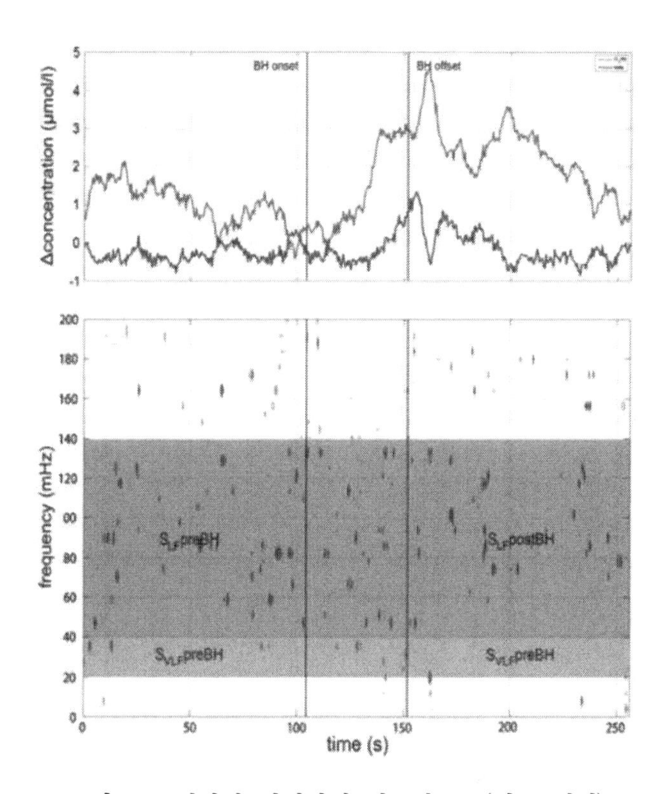

그림 7.2 건강한 피험자와 비교한 BH(위쪽 패널) 동안의 Hhb(파란색 선) 및 O2Hb(빨간색 선) 신호. 이벤트의 시작과 오프셋은 수직선으로 표시되어 있음. 하단 패널은 두 신호 사이의 시간-주파수 SCF의 15레벨 등고선 플롯을 보여줌. 노란색 영역은 VLF 대역(20-40 Mhz)을 나타내고, 분홍색 영역은 LF 대역(40-140 Mhz)을 나타냄.

RST(러프셋 이론)의 활용을 통해 데이터베이스에서 발견되지 않은 정보의 마이닝, 지식 기반 자문 시스템의 활용 등 다양한 분야에서 활용되었습니다. 특징 선택은 RST의 가장 중요한 응용 분야 중 하나로, 이를 통해 다변량 데이터 집합의 차원을 관리하기 쉬운 크기로 줄일 수 있습니다. RST를 사용하면 가장 유익한 속성 하위 집합을 찾을 수 있으며, 이 과정에서 최소한의 정보만 손실되고 나머지는 제거할 수 있습니다. 이는 데이터 세트의 차원 축소를 목표로 하며, 처리 시간을 감소시키고 분류 품질을 유지하는 데 도움을 줍니다.

카디널리티가 가장 적은 축소를 찾는 표준적인 접근 방식은 모든 가능한 축소를 생성한 후 가장 카디널리티가 작은 축소를 선택하는 것입니다. 이 접근 방식이 비효율적이고 대규모 데이터 세트에는 적합하지 않기 때문에, 여러 전략이 개발되었습니다. 이러한 전략들은 데이터 세트의 속성 수를 줄이는 것을 목표로 합니다.

이 장에서는 러프셋 이론(Rough Set Theory, RST)을 바탕으로 한 퀵리듀스 알고리즘(QRA, Quick Reduct Algorithm)에 초점을 맞추고 있습니다. QRA는 가능한 모든 속성 하위 집합을 생성하지 않고도, 검색 축소 문제를 해결하기 위한 기본적인 접근 방법입니다. 이 알고리즘은 다양한 맥락에서 사용될 수 있으며, 초기 설명은 참고 문헌에서 찾아볼 수 있습니다. QRA의 핵심은 조건 속성의 하위 집합과 의사 결정 속성 간의 의존성 정도를 평가하는 것입니다. 이 평가는 축소가 존재하는지 여부를 확인하기 위해 수행됩니다.

QRA 절차는 빈 속성 하위 집합에서 시작하여, 중지 임계값에 도달할 때까지 가장 바람직한 속성을 점진적으로 추가합니다. 그 목표는 전체 속성 집합과 동일한 종속성 정도를 갖는 축소를 식별하는 것이며, 이를 위해 최대 종속성 값이 결정됩니다. 해당 값이 종료 조건으로 선택되었으며, 데이터 세트의 무결성이 유지되면 최종 값은 1이 될 것입니다. 결과적으로, 의존도를 증가시키는 데 기여하는 속성은 축소 하위 집합에 포함됩니다.

불필요한 특징이 제거된 후에도 여전히 포함될 수 있다는 점에서 이 방법으로 최소한의 축소를 보장할 수는 없습니다. 이는 생성된 특징 하위 집합이 원래의 특징을 기반으로 생성되었기 때문입니다. 관련 없는 속성을 포함한 특징 하위 집합은 분류 성능 저하를 초래할 수 있습니다.

이 연구에서 사용된 두 가지 특징 선택 전략은 인공 신경망(ANN)을 활용하여 분석하고 비교되었습니다. 이 접근법의 목적은 필요하지 않은 특징의 수를 효과적으로 줄임으로써 데이터 세트의 차원을 축소하는 것입니다. 우리는 26개의 특성을 모두 사용한 ANN, QRA를 통해 선택된 특성만 사용한 ANN, 그리고 ANOVA 연구를 통해 결정된 특성만 사용한 ANN을 구축하였습니다. 각 네트워크는 단일 숨겨진 레이어를 가지고 있으며, 입력 뉴런의 절반에 해당하는 뉴런 수를 부여받았습니다. 숨겨진 레이어에는 로그 시그모이드 활성화 함수를, 출력 레이어에는 선형 함수를 사용했습니다.

또한, 우리는 역전파 학습 방법과 평균 제곱 오차 성능 함수를 사용하였습니다. 가중치 초기값은 무작위로 선택되었습니다. 이러한 두 가지 전략의 성능을 평가하기 위해 비교적 동일한 세 가지 ANN을 사용했습니다. 이러한 방법들은 동일한 분류 정확도를 유지하거나 향상시킬 수 있었습니다. ANOVA 결과는 독립 변수로서의 병리와 26개 특성을 종속 변수로 처리하여 분석된 것입니다.

공변량 분석 결과는 본 문서에 제시되어 있습니다. 이 연구에서는 응답자 분류에서 p-value가 5% 미만인 요소만을 유의미한 것으로 간주하였습니다. 결과적으로, 연구 대상 변수와 낮은 상관관계를 보이는 특성들(예: 편두통 유형)은 분석 과정에서 제외되었습니다. 이 연구를 통해, 세 가지 주요 특성(세 번째 열에 별표로 표시된)이 식별되었으며, 이는 HYP 이후 LF 대역의 O2 파워, BHIO2, 및 BHICO2를 포함합니다. QRA 접근 방식을 사용한 결과 이 중 마지막 변수만이 중요도가 높은 것으로 나타났습니다.

특징 선택을 위한 두 가지 방법의 효과는 인공 신경망(ANN)을 이용하여 분석되었으며, 각 네트워크에 대한 결과는 그림 13.6에 나와 있습니다. 전체 특징 집합을 사용했을 때는 100%의 환자 분류 정확도를 달성할 수 있었습니다. QRA에서 강조된 9가지 특징을 사용했을 때는 97.5%의 분류 신뢰도를 얻었으며, 분산 분석(ANOVA)에서 선택된 세 가지 특성을 사용했을 때는 정확한 분류율이 약 75%까지 떨어졌습니다.

7.2 데이터 해석

복잡한 생리 시스템을 연구할 때, 가능한 한 철저한 시스템 설명을 제공하기 위해 다수의 변수를 고려하는 것이 일반적입니다. 특히, 질병의 영향을 받는 경우에는, 두 가지 질환이 주된 관심사인 이 연구와 같이, 대규모의 특징 정보 데이터베이스를 활용하는 것이 필수적입니다. 대뇌 산소화를 측정하는 NIRS 센서로부터 얻은 데이터에 대한 시간-주파수 분석을 수행함으로써, MwA 및 MwoA를 앓는 개인의 혈관 패턴을 평가했습니다. 그 결과로, 총 26개의 변수가 선택 가능한 데이터 세트를 구성하였습니다.

이 연구는 또한 NIRS 신호에서 파생된 변수 세트가 포함한 정보의 양을 유지하면서 최소한의 변수 하위 집합을 식별하는 두 가지 특징 선택 방법의 효율성을 평가하는 것을 목적으로 하였습니다. 결과적으로, 다양한 방법을 비교하고 대조하여 데이터를 성공적으로 분류하는 데 중요한 특징에 초점을 맞출 수 있었습니다.

분류 평가를 위해 정보를 수집하는 비지도 학습 방법인 인공신경망(ANN)이 사용되었습니다. 분석 결과 QRA에서 선택된 특성이 최고의 품질 결과를 생성하는 것으로 나타났으며, 이는 섹션 13.4에서 보고된 결과에 의해 뒷받침됩니다. QRA의 결과는 편두통, 특히 일과성 편두통과 관련된 이산화탄소 조절 불규칙성 및 심혈관계 문제와 일관된 지난 연구 결과와도 일치합니다.

본 연구에서는 혈관 활동성 운동 중 산소화된 헤모글로빈과 감소된 헤모글로빈 사이의 일관성이 QRA(Quick Reduct Algorithm)가 중요하게 판단한 9가지 특성 중 5가지와 관련이 있다고 결론지었습니다. 특히, MwA(기운을 동반한 편두통)를 앓는 환자들과 MwoA(기운을 동반하지 않는 편두통) 환자들 사이에서 요구되는 특성 세트의 최적화 전략이 다르다는 점은 주목할 만합니다.

우리는 선형 판별 분석기로 성능을 평가하기 위해 분산분석(ANOVA)과 주성분분석(PCA)을 사용하여 과거의 다른 선형 판별기와 비교했습니다. 이 연구에서 사용된 특성 집합은 인공 신경망(ANN)과 결합되어 이전에 사용했던 특성 집합보다 우수한 성능을 보였습니다. 이전 시스템의 주요 단점 중 하나는 유의 수준을 설정해야 한다는 것이었는데, 우리는 이러한 수준을 약 5%로 설정할 것으로 판단했습니다. 그 결과, 데이터 분산에서 5% 미만의 기여를 하는 모든 특성은 해석에서 배제되었습니다. 이 피험자 선택은 임의적이었으며, 임상 관찰에 근거하지 않았습니다.

또한, 공분산 분석은 변수 간의 비선형 상관관계를 제대로 처리하지 못하는 중대한 한계를 가지고 있습니다. 다행히도, 우리가 사용한 특성 선택 접근법은 필요에 따라 조정이 가능하여 비선형성을 고려할 수 있습니다. 이 접근법은 각 특성에 적용되는 이산 범위 설정 외에는 사용자가 결정해야 할 요소가 없기 때문에 다른 방법들보다 임의성이 적습니다.

이 연구는 근적외선(NIRS) 데이터를 기반으로 하며,

unfortunatelyas 과학 문헌에서 유사한 특징 추출 또는 분류 연구를 찾을 수 없어 이 연구 결과를 직접 비교할 수 없었습니다. 이와 같은 특징 추출 방법과 다른 방법들을 비교하지 않았기 때문에 연구의 한계로 간주됩니다. 분류는 연구의 주된 목적이 아니었기 때문에 오직 ANN만 개발 및 테스트되었습니다.

현재 우리는 데이터베이스를 확장하고 새로운 분류 체계를 개발하고 있습니다. 이는 QRA 기술을 더욱 철저하게 검증하는 데 도움이 될 것입니다. 예상되는 적용 시나리오 중 하나는 만성 신경계 또는 뇌혈관 장애를 가진 개인이 가정에서 근적외선 기술을 사용하여 자신의 상태를 모니터링하는 것입니다. 결론적으로, 이 연구는 자동화된 특징 선택 방법을 사용하여 NIRS 신호를 분석함으로써 편두통 환자의 혈관 활동성 동작을 연구했습니다.

8장.

선택 및 감소 접근법

죽상 동맥 경화증은 동맥 벽이 경화되어 유연성을 잃고, 지질과 기타 혈액 매개 분자가 동맥 벽 내에 침착되는 잠재적으로 치명적인 질환입니다. 이 질환은 심각한 심장마비나 뇌졸중으로 이어질 수 있는 위험을 증가시킵니다. 동맥의 유연성 소실은 약 5~10년의 기간 동안 혈액 순환 장애를 일으켜 주요 장기인 간, 신장, 심장, 뇌에 손상을 줄 수 있습니다. 죽상동맥경화증의 예방 및 모니터링을 위해 주로 사용되는 임상 검사는 동맥경화반의 초음파 검사입니다.

음파를 활용한 이 검사는 대동맥, 경동맥, 대퇴동맥, 상완동맥과 같은 큰 동맥의 내부 구성을 보다 명확히 파악할 수 있게 합니다. 특히 주요 동맥의 내막-중막 두께(IMT)는 환자의 심혈관 건강 상태를 판단하는 중요한 지표로 활용됩니다. 특히 경동맥의 IMT는 전 세계 많은 임상 연구에서 적용되어 온 주요 지표입니다. 그러나 경동맥의 IMT 평가는 단순한 절차는 아닙니다.

대부분의 경우, 숙련된 초음파 전문의가 경동맥의 종방향 투영을 촬영하고, 이미지에서 가장 명확하게 보이는 두 인터페이스에 대응하는 마커를 수동으로 배치하여 IMT를 측정합니다. 이 고도로 전문화된 절차는 높은 수준의 정확도를 요구하지만, 많은 시간을 소모하며 현대 임상 권장 사항이 요구하는 새로운 품질 수준에 부합하기 어렵습니다. 최근 연구에서는 의료 전문가를 지원하기 위해 컴퓨터 알고리즘을 사용한 경동맥 IMT의 평가 방법이 개발되었습니다.

Molinari 등에 의한 초음파 영상을 이용한 경동맥 벽 분할 및 IMT 측정 연구는 현재 의료계에서 사용되는 다양한 IMT 측정 방법을 조사하였습니다. 대부분의 측정 방법은 반자동화되어 있어, 의료 인력이 직접 측정을 해야 하며, 이러한 작업은 컴퓨터 프로그램과의 상호작용을 필요로 합니다. 숙련된 음파 기사와 컴퓨터 기술의 결합은 IMT 측정의 정확성과 반복성을 향상시킬 수 있으나, 이러한 접근법이 프로세스의 완전한 자동화를 의미하지는 않습니다.

지난 5년간 완전 자동화된 측정 프로세스의 개발이 크게 증가하였으며, 이 방법은 연구자가 완전히 독립적으로 작업할 수 있도록 함으로써, 다기관 연구나 역학 연구에서 다루는 방대한 데이터 세트를 처리하는 데 적합합니다. 그럼에도 불구하고 사용자 중심의 알고리즘이 성능 면에서 자동화된 알고리즘을 계속해서 능가하고 있습니다. 이는 죽상 동맥 경화증 진단과 모니터링의 질을 높이는 데 중요한 역할을 합니다.

자동화된 시스템이 전문 초음파 검사자의 일을 모방하기가 특히 어려운 이유 중 하나는, 실제로 인간 작업자가 초음파 이미지의 분할과 내막-중막 두께(IMT) 측정을 주도할 때, 그들이 수년에 걸쳐 쌓은 전문 지식을 바탕으로 최적의 이미지 영역을 선택하기 때문입니다. 이러한 시나리오에서는 노이즈가 적음에도 불구하고 경험 많은 작업자는 형태학적으로 적절한 영역(예: 경동맥 전구부에서 1센티미터 이내 구역)을 정확하게 선택할 수 있습니다. 이 과정을 기계적으로 재현하는 것은 큰 도전입니다. 실제로, 사용자에게 독립적인 세그먼트의 이미지 영역이 최적이 아닌 경우(예를 들어, 아티팩트가 많거나, 과도한 노이즈가 있거나, 초점이 흐려진 벽면 레이어 등)가 흔합니다.

죽상동맥경화증이 있는 환자에서 IMT 두께가 1mm인 경우를 예로 들면, 수동 측정 시 일반적인 IMT 측정 오차는 약 0.02~0.01mm일 수 있으며, 이는 측정값의 대략 2%에 해당합니다. 이러한 오차 범위는 어디에서나 발생할 수 있습니다. 비교적으로 자동화된 방법으로는 0.03mm에서 0.10mm 범위의 결과가 나타나는데, 이는 IMT 값의 약 3%를 차지합니다. 세밀한 알고리즘이 잘 조정되었다 하더라도 이는 여전한 상황입니다. 그러나, 오차의 표준 편차로 측정되는 반복성 측면에서 보면, 자동화된 프로세스는 수동 프로세스보다 약 10배 더 우수한 결과를 나타냅니다.

따라서, 자동화된 시스템의 성능 감소를 극복하는 데 도움이 될 수 있는 하나의 방법은 초음파 이미지에서 추가 정보를 추출하는 것입니다. 이상적인 처리 파이프라인에서는 분할 전략이 인간 작업자의 의사 결정 과정을 시뮬레이션하여, 결국 최적의 분할을 달성하기 위해 해당 정보를 활용해야 합니다. 이 접근 방법으로 최적의 이미지 세분화를 목표로 할 수 있습니다. 이 장에서는 초음파 이미지의 픽셀 레벨에서 정보 내용을 분석하는 방법을 제안합니다.

이러한 개념은 초음파 경동맥 이미지의 픽셀을 분류하는 새로운 특징 추출 방법을 개발하기 위한 기초로 활용되었습니다. 분류체를 구성할 때 사용되는 특징의 수를 단순히 늘리는 것이 반드시 분류 정확성을 높이는 것은 아닙니다. 이는 성능 저하를 일으킬 수 있는 노이즈가 발생하거나 서로 관련이 없는 여러 속성 때문에 발생할 수 있습니다. 따라서 분류에서 더 높은 정밀도를 달성하기 위해서는 관련 기준을 식별하는 것이 핵심적인 단계입니다.

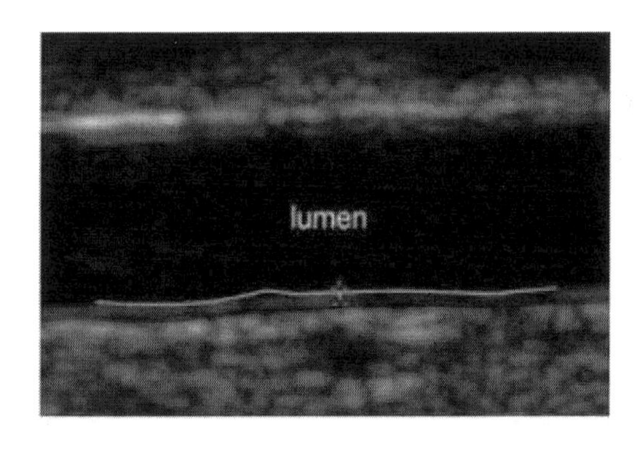

그림 8.1 CA의 세로 투영: 흰색 선은 루멘-인티마(LI) 인터페이스를 나타내고 검은색 선은 미디어-어드벤티티나(MA) 인터페이스를 나타냄.

우리는 이 연구의 일환으로 개발한 특징 추출 방법을 기반으로 초음파 경동맥의 픽셀을 분류하는 기법을 제안합니다. 이 접근법은 분류기를 구축하는 데 사용되는 특징의 수를 늘린다 해서 반드시 분류 정확도가 향상되는 것은 아니라는 가설을 기초로 합니다. 이는 특징들 간에 상호 관련성이 없거나 심지어 노이즈를 발생시켜 분류기의 성능을 저하시킬 수 있기 때문입니다. 따라서 분류에서 높은 수준의 정밀도를 달성하기 위해서는 관련성 있는 기준을 식별하는 것이 필수적인 과정입니다.

특징 선택 또는 구성을 포함하는 기법을 사용할 경우, 특성 수가 감소하는 결과를 종종 보게 됩니다. 이 과정은 기존의 특성을 바탕으로 새로운 특성을 개발하면서 진행됩니다. 발견된 새로운 특성과 초기에 존재했던 특성 간에는 상관관계가 없을 수 있으며, 이로 인해 발견된 내용을 이해하는 것이 복잡해질 수 있습니다. 이는 과정에 있어서의 한 부정적 측면입니다. 특징 선택의 개념은 초기 집합에서 의미 있는 최소 수의 특성을 추려내어 특성의 수를 줄이는 데 기반을 둡니다. 이 방식은 분류의 정확도에 큰 영향을 미치지 않으면서 수행될 수 있습니다.

특성 선택이 필요한 경우, 최종적으로 선택된 특성의 관련 순위를 결정하는 데는 명확하고 잘 정의된 기준이 필요합니다. 초기 특성의 수가 때로는 상당히 많을 수 있음에도 불구하고, 평가 기준이 단순하다 하더라도 모든 하위 집합을 일일이 검토하는 것은 계산적으로 불가능합니다. 따라서, 합리적인 시간 내에 적절한 특성 모음을 식별하기 위해 휴리스틱 기법이 사용됩니다. 특징 선택 방법은 다양하며, 이들 중 주요 차이점 중 하나는 기본적으로 선형성을 가정한다는 점입니다. 이는 여러 접근 방식 사이의 중요한 차이점 중 하나일 뿐, 실제 세계에서의 대부분의 사건은 비선형적으로 발생합니다.

8.1 특징 추출 및 선택

예를 들어, 두 가지 특성을 개별적으로 분석할 때는 효과가 없을 수 있지만, 이들을 함께 연구할 경우 예측력이 높아질 수 있습니다. 또한, 특성의 수가 많아질수록 필요한 기본 훈련 데이터 세트의 크기도 커져야 한다는 점을 명심해야 합니다. 이는 항상 고려해야 할 중요한 사항입니다. 러프 세트 이론(Rough Set Theory, RST)에 근거하여 선택된 세 가지 알고리즘은 퀵리듀스 알고리즘(Quick Reduct Algorithm, QRA), 엔트로피 기반 알고리즘(Entropy-Based Reduction, EBR), 개선된 퀵리듀스 알고리즘(Improved Quick Reduct Algorithm, IQRA)입니다. 차원 축소 과정에서 사용되는 이 세 가지 방법은 특징 선택 프로세스에 도입될 수 있는 방법론적 프레임워크를 제공합니다.

이 접근법들은 계산적으로 효율적이며, 다른 방법들과 비교하여 시행 과정에서 인간의 입력이 전혀 필요하지 않습니다. 또한, 데이터의 의미론적 무결성을 유지하므로 이해하기 어렵거나 모호한 결과가 발생하지 않습니다. 이 연구의 목적은 방대하고 복잡한 수의 요인을 계산하여 분석할 수 있도록 돕는 것입니다.

사례 연구

두 개의 별도 기관에서 제공한 총 300장의 초음파 이미지를 포함하는 데이터베이스를 대상으로 실험을 수행했습니다. 키프로스 니코시아의 키프로스 신경학 연구소에서는 7~10MHz의 선형 프로브가 장착된 필립스 ATL HDI 3000 초음파 스캐너를 사용하여, 건강한 사람 100명으로부터 100장의 이미지를 수집했습니다. 이 사진들은 16.67픽셀/mm의 밀도로 리샘플링되었으며, 최종 결과물에 적합한 픽셀 크기는 60lm로 결정되었습니다. 나머지 200장의 이미지는 이탈리아 토리노의 그라데니고 병원에서 150명의 환자를 대상으로 필립스 ATL HDI 5000 스캐너를 사용하여 촬영되었습니다. 이 그룹의 환자들은 50세에서 83세 사이로, 평균 연령은 69세였으며, 리샘플링 시 픽셀당 62.5lm의 보정 계수가 적용되었습니다.

두 기관 모두 환자들의 서면 동의를 받은 후에 이미지 취득 절차를 시작했습니다. 모든 절차는 해당 지역 윤리 위원회의 승인을 받았으며, 모든 참가자는 연구 참여 전에 사전 동의를 제공했습니다. 초음파 이미지의 수작업 분할은 혈관외과 전문의, 신경과 전문의, 심장 전문의 등 초음파 촬영 분야의 전문가들에 의해 수행되었습니다. 이러한 사례 연구는 초음파 이미지의 픽셀을 정확하게 분류하고 최적의 특징을 추출하는 데 있어서의 접근 방식과 알고리즘의 유효성을 검증하는 데 중요한 역할을 합니다.

연구진은 초음파 데이터를 분석하기 위해 내강과 내막의 경계를 찾는 업무에서, 내강-내막(Lumen-Intima, LI) 및 내막-중막(Media-Adventitia, MA) 인터페이스를 추적했습니다. 이때 산술 평균값을 진실값(Ground Truth, GT)으로 간주하였습니다. 이 데이터베이스는 건강한 동맥과 병든 동맥을 모두 포함하고 있었으며, 경동맥에서 발견되는 다양한 형태로는 수평 경동맥과 직선 경동맥 등이 있습니다.

내강, 내막-중막 복합체 및 내막은 경동맥 초음파 이미지에서 생리적 중요성을 기반으로 세분화된 세 가지 픽셀 그룹입니다. 이를 통해 특징 선택에 사용될 데이터 세트를 생성할 수 있었습니다. 무작위 선택 프로세스를 통해 사진 중 50장을 선택한 후, 각 이미지에서 각 카테고리별로 10픽셀씩, 총 1,500픽셀을 선정하였습니다.

추가로, 각 테스트 픽셀 주변의 픽셀 밝기를 기준으로 각 픽셀의 밝기와 속성을 분석하였습니다. 통계적 모멘트, 추정치 및 텍스처 품질을 포함하여 각 카테고리의 강도와 매개 변수를 계산했습니다.

러프셋 이론(Rough Set Theory, RST)은 머신 러닝, 지식 기반 의사 결정, 패턴 인식, 데이터베이스에서의 지식 발견, 전문가 시스템 개발 등 광범위한 분야에서 활용되어 왔습니다. 최근 몇 년간 RST는 특히 특징 선택에서 중요한 역할을 하고 있으며, 사용된 모든 사례에서 우수한 결과를 보여주고 있습니다. 특징 선택을 통해 다변량 데이터 집합의 차원을 관리 가능한 크기로 줄일 수 있으며, 이를 통해 연구자는 가장 중요하고 유용한 정보만을 포함하는 고차원 컬렉션에서 데이터를 추출할 수 있습니다.

RST를 사용하여, 주어진 데이터 세트에서 가장 많은 정보를 포함하는 원본 속성의 하위 집합, 즉 축소를 찾을 수 있습니다. 이 과정에서는 최소한의 정보 손실만 발생하며, 기타 모든 속성은 데이터 세트에서 제거될 수 있습니다. 이 전략은 필수적인 특성을 강조하면서, 계산 시간을 절약하고 분류의 품질을 유지하게 해 줍니다. 이와 같이, 모든 특징 선택 방법은 두 단계로 나눌 수 있습니다. 첫 번째는 실제 수치 데이터의 이산화이고, 두 번째는 이산화된 데이터를 바탕으로 특성 선택 전략을 적용하는 것입니다. 이러한 각 단계는 특징 선택 프로세스에서 매우 중요하며, 연속적인 특성을 이산화하는 과정을 통해 불연속형 데이터에만 적용될 수 있던 러프셋 접근 방식을 연속형 데이터에도 활용할 수 있게 되었습니다.

8.2 퀵리듀스 알고리즘 (QRA)

이 값 간격들은 각 변수에 적용될 수 있으며, 다음 단계에서 이산화된 데이터 세트가 특징 선택 방법에 사용되었습니다. 이 절차의 결과는 의존성 측정값을 활용하여 평가되었습니다. 가장 낮은 카디널리티(cardinality)를 가진 축소(reduction)를 찾기 위해, 먼저 가능한 모든 축소를 구성한 다음 가장 작은 축소를 선택하는 기법이 일반적으로 사용됩니다. 이 방식은 단순하긴 하지만 대규모 데이터 세트에서는 비효율적일 수 있으므로, 최근 몇 년 간 이를 위한 여러 대안적 솔루션이 개발되었습니다. 다음 섹션에서는 QRA를 포함한 이러한 다양한 전략들에 대해 설명합니다.

QRA는 사용자에게 검색 난이도를 줄이는 문제를 해결할 수 있는 도구를 제공합니다. 이 알고리즘은 분석되는 조건부 특성 하위 그룹 사이에 존재하는 의존도의 정도를 기반으로 작동합니다. 이 방법은 비어 있는 특성 하위 그룹에서 시작하여, 원하는 수준의 의존도에 도달할 때까지 가장 바람직한 특성을 순차적으로 추가합니다. QRA의 목표는 전체 특성 집합과 동일한 의존도를 갖는 축소를 찾는 것이므로, 이를 마무리 기준으로 채택합니다.

계산 후, 정보가 정확하면 최대 의존도는 1이 됩니다. 따라서 상호 의존도가 높은 특성이 축소 하위 그룹에 포함됩니다. 이 기법은 최소 축소를 보장하지 않으며, 축소된 특성 하위 그룹에 중요하지 않은 특성이 포함될 수 있음을 의미합니다. 이러한 특성으로 구성된 특성 하위 그룹이 분류기에 사용될 경우 분류 정확도에 부정적인 영향을 미칠 수 있습니다.

추가로, 이산화된 속성 값을 가진 데이터 세트에서 RST를 사용하여 가장 정보가 풍부한 원래 속성의 하위 집합을 찾을 수 있으며, 이 과정에서 최소한의 정보만 손실됩니다. 이 접근법을 사용하면 필수적인 특성을 강조하면서, 계산에 소요되는 시간을 줄이고 데이터의 품질을 유지할 수 있습니다.

EBR 알고리즘은 이 접근 방식을 확장하여 조건부 속성을 포함할 수 있도록 방정식을 적절하게 수정합니다. 숫자 0은 일관된 데이터 콜렉션에서 존재할 수 있는 최대 엔트로피를 나타내며, 각 반복에서 엔트로피가 크게 감소하는 특성을 현재 하위 그룹에 추가하여 QRA와 유사한 효과를 달성합니다. 결과적인 하위 그룹이 모든 다른 가능한 특성과 동일한 수준의 엔트로피에 도달하면 축소 검색이 완료됩니다. 이 방법을 이용한 의사 코드 형태의 설명을 제공합니다.

퀵리듀스 알고리즘 (QRA)의 제한 및 개선

QRA는 구조적으로 RST에 기반을 두고 있기 때문에, 최소의 감소를 식별할 수 있다는 보장을 주지 못하는 동일한 제한이 적용됩니다. 분류 작업과 특징 선택 문제에서 널리 사용되기는 하지만, RST는 분류가 완전히 정확하거나 확실한 개체만 처리할 수 있다는 제약을 받습니다. 이는 데이터의 모호한 부분에 대해 해석할 여지가 없기 때문입니다. 또한, RST는 우주 U 전체가 현재 고려 중인 데이터로만 구성되어 있다는 가정에 기반합니다.

이러한 제약 때문에 이 모델에서 형성될 수 있는 추론은 제한적이며, 의존도의 단조로움에 대한 가정은 QRA가 RST와 동일한 제약을 갖게 합니다. QRA는 데이터 세트에 존재하는 중복된 개체를 고려하지 않으며, 중간 반복 중에 포함된 개체는 이후 반복에 새로운 정보를 추가하지 않습니다. 이는 주어진 데이터 집합에 중복된 요소가 존재하면, QRA를 계산하는 데 필요한 시간을 줄여 비용을 절감할 수 있다는 점을 시사합니다.

이 제한 때문에, 실무자들은 기능 선택과 결과적인 카테고리 할당을 개선하기 위해 기존 방법을 수정해야 했습니다. 이 연구의 저자들은 '개선된 퀵 리듀스 알고리즘(IQRA)'이라고 불리는 새로운 기법을 제안합니다. 이 알고리즘은 분석 중인 데이터 세트에서 불필요한 구성 요소를 제거하도록 설계되었으며, 이는 현재 사용되고 있는 VPRS 기반 전략을 통해 제공됩니다.

IQRA는 QRA와 유사하게, 특징 하위 그룹을 비워둔 상태에서 시작하여, 반복시마다 가장 높은 증가율을 보이는 특성을 추가합니다. 이 접근법은 결국 중복된 특징을 제거하고, 줄어든 특징 집합이 원래의 특징 집합이 제공했던 분류 수준을 유지하거나 개선할 수 있음을 보장합니다.

이 장에서는 특징 선택에 세 가지 다른 기법이 사용되었으며, 인공 신경망(ANN)을 사용하여 각 전략의 성능을 평가한 결과를 검토했습니다. 평가는 전략의 성공 여부를 결정하기 위해 ANN을 사용하여 수행되었으며, 좋은 특징 선택 절차를 통해 중복된 특징을 제거함으로써 각 기법의 효율성을 입증했습니다. 이 과정을 통해 서로 유사한 특성들을 제거하는 것이 가능해졌습니다.

8.3 기능 선택 프로세스 및 신경망의 성능 평가

ANN의 구현에서, 입력 레이어는 각 특징에 대응하는 뉴런으로 시작하여 마지막의 출력 레이어는 단 하나의 뉴런으로 구성되었습니다. 숨겨진 레이어는 진행됨에 따라 각 중간 레이어를 통과할 때마다 뉴런의 수가 점차 줄어들었습니다. 신경망의 숨겨진 레벨들에서는 지수 시그모이드 함수를 사용하고, 출력 레이어에서는 뉴런 활성화를 위해 선형 함수를 적용했습니다. 학습 방법으로는 역전파가 선택되었으며, 성능 측정 기준으로는 평균 제곱 오차를 사용했습니다. 연결 가중치의 초기 값을 결정하기 위해 난수 생성기를 사용하였으며, MATLAB의 신경망 툴을 사용하여 인공 신경망을 구현했습니다. 전체 입력 데이터 세트는 ANN의 훈련 세트로 활용되었습니다.

픽셀 분류를 위한 최적의 특징 선택 수준을 달성하기 위해 여러 단계로 구성된 방법이 사용되었으며, 모든 단계는 그림으로 상세히 나와 있습니다. 초기 데이터 세트(DS1)는 각 클래스에 500개의 컴포넌트를 포함하며, QRA, EBR, IQRA 방법을 적용하여 시작했습니다. 이를 통해 데이터를 더 깊게 이해할 수 있었습니다. 각 축소 방법은 동일한 데이터 세트에 적용됐을 때 10개 또는 11개의 특징과 상대적으로 낮은 의존도를 가진 별도의 하위 특징 그룹(FSQRA, FSEBR, FSIQRA)을 반환했습니다.

이 다음 단계에서는 EBR, QRA, IQRA를 사용해 선택된 특성들로 구성된 세 개의 네트워크를 구축하여, 각 네트워크를 이전에 설명한 비슷한 구조로 설정하고 그 성능을 평가했습니다. 각 네트워크의 성능은 훈련 과정에 사용된 것과 동일한 데이터 세트로 평가되었습니다. FSQRA는 각 특징 선택 접근 방식마다 광도 및 기타 픽셀이 각 클래스에 올바르게 할당되는 비율을 반영하는 분류 정확도를 성공적으로 달성했습니다. 분류 정확도는 모든 접근 방식에서 91% 이상이었으며, 광도 픽셀은 95% 이상이 올바른 클래스에 할당되었고, 나머지 두 클래스에 올바르게 할당된 픽셀 비율은 약간 감소했지만 여전히 85% 이상을 유지했습니다.

추가로, 두 개의 다른 데이터 세트(DS2 및 DS3)를 활용하여 첫 번째 데이터 세트와 유사하지만 서로 다른 특성을 가진 픽셀을 포함한 50장의 테스트 이미지에 대한 라벨링을 수행했습니다. 이러한 데이터 세트들은 첫 번째 데이터 세트와 유사하나 다양한 픽셀 특성을 포함하고 있었습니다. 이 실험을 통해 각기 다른 환경에서의 네트워크의 robustness 및 일반화 능력을 평가할 수 있었습니다.

기능 선택 프로세스 및 분류기 구현

분류 결과는 세 데이터 세트(DS1, DS2, DS3) 모두에서 동일하게 나타났으며, 눈에 띄는 차이는 관찰되지 않았습니다. 그러나 각 데이터 세트의 다양한 이미지에서 발생한 분류의 부정확성은 분류 정확도를 더욱 향상시킬 필요가 있음을 시사했습니다. 이를 위해, 각각 다른 데이터 세트로 학습된 세 개의 인공 신경망(ANN)과 투표 기반 폴링 시스템을 결합한 분류기를 개발하여 픽셀 분류의 정확도를 개선했습니다. 이 분류기는 최소 두 명 이상의 투표를 통해 선택된 카테고리를 표시하는 방식으로 결과를 제공했습니다.

경동맥 이미지의 일부에 적용한 결과, 분류기를 사용하여 얻은 이미지 픽셀의 분류는 각각의 ANN으로 독립적으로 수행한 분류보다 우수했다는 결과를 얻었습니다. 실제로 다른 모든 이미지에서도 동일한 결과를 확인할 수 있었습니다. 실험을 통해 추가로 300개의 픽셀을 세심하게 선택하고 원본 데이터 세트에 추가함으로써 분류 오류를 더욱 줄일 수 있다는 결론에 도달했습니다.

조사 결과, 각 컬렉션에 포함될 수 있는 최대 픽셀 수는 1,800개였습니다. 다양한 증분 데이터 세트는 QRA만으로 새로운 특징 추출을 수행하기 위해 사용되었습니다. DS1에서 획득한 데이터 세트를 증분 데이터 세트 DS1a라 하며, DS2와 DS3에서 각각 획득한 데이터 세트를 각각 DS2a와 DS3a라 합니다. 이 방법으로 새로 반환된 세 개의 특징 하위 그룹은 각각 FSDS1a, FSDS2a, FSDS3a라는 명칭으로 부여되었습니다. 그림 8.2에서는 특징 선택을 최적화하기 위해 수행된 프로세스를 도식적으로 표현하였습니다. 이 순서도는 고전적인 기호를 사용하여, 각 절차 단계를 식별하고, 데이터 기호는 단일 단계의 입력을, 문서 기호는 단계의 출력을 나타냅니다. 다이어그램 상단의 두 데이터 기호는 전체 시스템의 입력을 나타냅니다.

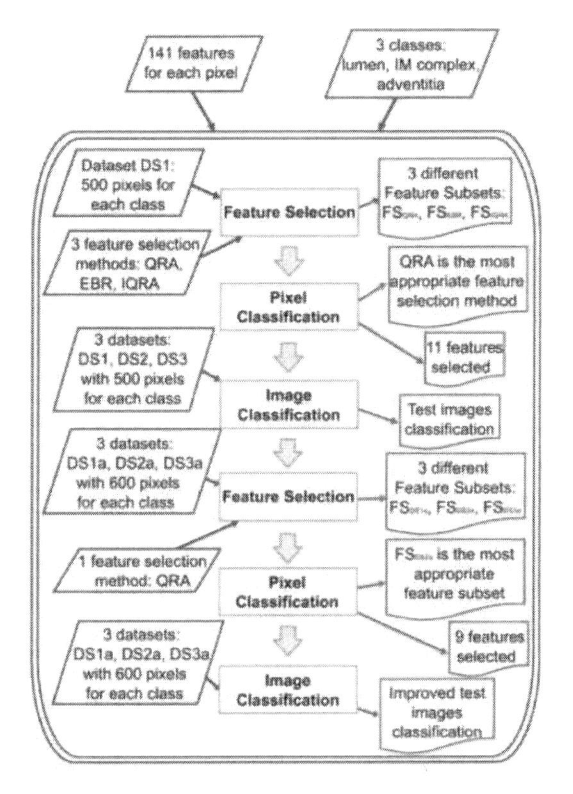

그림 8.2 순서도의 고전적인 기호를 사용하여 특징 선택을 최적화하기 위해 수행된 프로세스의 도식적 표현: 이 이미지에서 프로세스 기호는 절차 단계를 식별하고, 데이터 기호는 단일 단계의 입력을 나타내며, 문서 기호는 단계의 출력을 나타냄. 다이어그램 상단의 두 데이터 기호는 전체 시스템의 입력을 나타냄.

시스템에 대한 종합적인 설명을 생성하는 과정에서 매우 큰 규모의 데이터 세트를 구축하고, 141개의 특징 목록을 작성하여 분류가 맥락에 따라 다양하고 복잡할 수 있다는 점을 감안하였습니다. 가장 먼저 한 일은 미국 경동맥 이미지에서 도출된 매개변수를 기반으로, 가능한 가장 작은 변수 하위 집합을 결정하여 세 가지 특징 선택 방법의 효율성을 평가하는 것이었습니다.

기능 선택 프로세스 및 실제 분류 장면 적용

이 방법을 사용함으로써 신뢰할 수 있는 분류 결과를 얻을 수 있었고, 따라서 관련된 품질에 집중할 수 있었습니다. 비구조적 접근 방식인 인공신경망(ANN)을 활용하여 픽셀 분류 평가를 수행하였습니다. ANN은 학습 과정을 통해 네트워크에서 정보를 수집하는 기법으로 사용되었으며, 이전 세그먼트에서 보여준 결과를 통해 QRA가 선택한 특성이 가장 높은 품질의 결과를 생성하였다는 결론을 도출했습니다. 그러나 사용된 다양한 데이터 세트에서 선택된 특징 하위 집합이 이동하며, 하위 집합에 포함된 변수들 간 연관성이 없음에도 불구하고 테스트 이미지에서의 분류가 잘 수행됨을 관찰했습니다.

이 접근법의 한계 중 하나는 데이터 세트의 크기가 작을 경우, 정확한 분류를 위해 필요한 모든 특성을 포함하지 못할 수 있다는 것입니다. 이 문제를 해결하기 위해, 가능한 많은 사진 종류를 고려하여 특징을 선택하는 절차가 필수적입니다. 특히 다양한 기관과 인종의 사람들로부터 수집된 데이터베이스를 작업할 때, 초음파 영상의 경우처럼 광범위한 픽셀 특성을 다루어야 하기 때문에 이 단계는 중요합니다.

초음파 영상의 가변성 증가는 잡음, 특히 초음파 펄스의 다중 산란으로 인한 대표적인 스페클 노이즈, 초음파 장치 설정(예: 제니 게인, 토탈 게인, 타임 게인 콤펜세이션, 그레이스케일 설정, 동적 범위), 초음파 프로브의 유형 및 주파수 등 다양한 요인에 의해 야기됩니다. 따라서, 영상의 세기 변동성과 그 분포 및 분류는 다양한 별개 요소에 영향을 받습니다. 이러한 이유로, 특징 선택 알고리즘의 전체적인 효과를 특성화하기 위해서는 완전하고 광범위한 확인 연구가 필수적입니다. 이 기술은 특히 초음파 경동맥 영상에서 자동화된 특징 선택 접근법을 사용하는 혁신적인 방법으로, 전체적인 원격 벽 분할 성능을 향상시키는 것을 목적으로 합니다.

이 기법은 이론적인 결과만으로도 효과적임을 보여주었지만, 여전히 해결해야 할 문제들이 존재합니다. 제공된 데이터는 현재 탐색적으로 간주되고 있지만, 선제적인 연구 결과는 매우 유망합니다. 처음 분류된 카테고리 그룹은 모든 픽셀이 정확히 분류된 것을 보여줌으로써, 이 접근법의 유효성을 확인시켜 주었습니다. 추가적으로, LI 및 MA의 지상 진실 프로파일과 함께 수동 추적된 클래스 경계가 적절하게 파악됨으로써 이 방법의 정확성이 입증되었습니다.

경동맥의 구조적 차이에 따른 영향을 받지 않고, 경동맥 분류 방법은 일관성을 유지할 수 있었습니다. 이 접근법은 정상적인 경동맥과 치석이 존재하는 경동맥 모두에서 정확한 분석을 수행할 수 있음을 보여주었습니다. 이는 제안된 분류 시스템이 다양한 형태의 경동맥 상태를 효과적으로 구분할 수 있음을 의미하며, 경동맥의 건강 상태에 관계없이 일관된 결과를 제공할 수 있다는 점에서 중요합니다.

9장. 맺음말

이 책에서는 현대 의료 정보학의 다양한 이론과 실용적 방법론을 통해 어떻게 복잡한 의료 데이터를 처리하고, 이를 통해 의료 서비스의 질을 향상시킬 수 있는지를 탐구하였습니다. 우리는 특히 근적외선 분광법(NIRS)이 어떻게 편두통 환자의 혈관 활동성 패턴을 분석하는 데 사용될 수 있는지 상세히 조사해 보았으며, 이 기술이 제공하는 가능성을 확인하였습니다.

분석 기술이 발전함에 따라 우리는 데이터를 보다 효율적으로 처리하고, 이를 통해 보다 정확한 진단과 효과적인 치료 방법을 개발할 수 있는 기회를 얻었습니다. 이 책에서는 퀵리듀스 알고리즘(QRA), 분산분석(ANOVA), 주성분분석(PCA) 및 인공 신경망(ANN)과 같은 데이터 분석 기법들이 의료 데이터를 다루는 데 어떻게 적용될 수 있는지를 심도 있게 다루었습니다.

우리는 특성 선택의 중요성에 대해서도 토론했습니다. 적절한 특성을 선택하는 것은 데이터 분석에서 매우 중요한 과정으로, 불필요한 데이터를 제거하고 가장 유의미한 정보만을 추출함으로써 분석의 정확도를 높일 수 있습니다. 이 과정은 연구자들이 보다 명확하고 실제적인 결과를 도출할 수 있도록 돕습니다.

그러나 이 책에서 다룬 내용을 통해 명확히 한 것처럼, 모든 분석 기법에는 각기 장단점이 있습니다. 예를 들어, 공분산 분석은 변수들 간의 비선형 상관관계를 적절히 처리하지 못한다는 한계를 가지고 있습니다. 따라서 연구자는 사용하는 분석 방법의 한계를 인식하고, 이에 따라 해석을 신중히 해야 합니다.

결과적으로, 이 책은 의료정보학 분야에서 데이터 분석 기술이 어떻게 활용될 수 있는지에 대한 통찰을 제공한다는 점에서 그 가치가 있습니다. 우리는 의료 데이터 분석이 앞으로 어떤 방향으로 나아가야 할지에 대한 명확한 지침을 제시하려 했습니다. 데이터 분석 기술의 발전은 의료 분야에서 더욱 진보된 진단과 치료 방안을 가능하게 할 것이며, 이는 최종적으로 환자의 건강한 삶에 기여할 것입니다.

앞으로도 의료정보학의 발전은 계속될 것이며, 우리가 이 책에서 다룬 분석 기법들은 계속해서 발전하고 새로운 문제 상황에 적용될 것입니다. 특히 머신러닝 기법과 인공 신경망의 발전은 의료정보학 분야에서 획기적인 변화를 가져올 가능성이 큽니다. 이러한 기술의 발전이 환자 개개인에 맞춰진 맞춤형 의료를 실현하는 데 중요한 역할을 할 것입니다.